SPANISH
GRAMMAR MADE EASY

A Comprehensive Workbook
To Learn Spanish Grammar for Beginners

CONTENTS

PREFACE

Learning a language is enriching. It's about communication, creativity, and memory, but craftsmanship above all.

As you can see, speaking a new language means you have a whole set of tools to craft meaningful sentences. This book, part of the Spanish Made Easy series, is a toolbox containing vocabulary, grammar, and practice.

Languages are about communication, and there are rules to do so – Spanish is no exception. In fact, these rules and principles are what grammar is all about. It's a progressive task; a solid structure to build meaningful sentences with.

Think of this book as your building blocks. Each sentence you craft will expand your horizons, especially after you begin to be creative with them.

Finally, the focus of this material is on Latin American Spanish, but there are clear references to Castilian Spanish. Also, the vocabulary is contemporary and functional, and you can complement it with our other Spanish Made Easy workbooks. Each unit contains images and audio to complement the exercises inside. Students looking to strengthen their grammar skills can take advantage of this practice. After all, the workbook covers basic A1 to A2 CEFR material, which makes it a grammatical cornerstone.

"The limits of my language mean the limits of my world."
– Ludwig Wittgenstein

INTRODUCTION

Spanish is the fourth most spoken language in the world after Hindi, Mandarin, and English. It's the official language of 21 countries, and at least 50 million people in the USA are native speakers. This is more than the 47 million native speakers in Spain, but way less than the nearly 125 million in Mexico.

According to estimates, the US will have 138 million native Spanish speakers by 2050. It's the most spoken minority language and, thus, the most studied language in the country. The vibrant Latin cultural influence is present in food and music, and in loanwords like "amigo," "cafeteria," "patio," and "siesta," among others. There'll be 750 million Spanish speakers in the world by 2050, according to the Cervantes Institute.

Most countries south of the Rio Grande, the river bordering the US and Mexico, speak Spanish. The exceptions are Haiti, Suriname, Guyana, French Guiana, and of course, Brazil. In Africa, Morocco accounts for 1.5 million Spanish speakers, and in fact, it's been the official language of Equatorial Guinea since 1844.

In Asia, the Philippines is a former colony of the Spanish Empire. The colonial language was officially used for everything related to education, government, and trade for three centuries. It's still present in most of the 170 local languages spoken on the islands, and close to three million people still speak it there, according to the Cervantes Institute.

The Hispanic world has had much influence on the arts and sciences. In fact, 12 out of the 25 Nobel Prizes winners in literature have been from Spanish-speaking countries. Miguel de Cervantes, author of *Don Quixote de la Mancha,* and Gabriel García Márquez, author of *100 Years of Solitude,* are two of these recipients. Others, like Jorge Luis Borges and Julio Cortázar, have also made important contributions to literature.

Spain is a popular destination among travelers. In fact, it was the 2nd most visited country in 2019. While a basic level of Spanish will allow you to communicate with most people in the Americas, a higher level will help you have a more personal connection. A deeper understanding of the various cultures will make you more than a tourist.

HOW TO USE THIS BOOK

The design of this book is linear. Each unit builds on and assumes knowledge of the content in the preceding units. Learners with a basic knowledge of Spanish may skip Unit I. However, you might want to review it anyway.

Unit I differs from the others in that it focuses on pronunciation and orthography. It also introduces basic grammar concepts, terms, and exercises. In addition, the audio content of this course offers examples of words and phrases.

Unit II contains different sections, and all provide Spanish text and/or dialogue. There are also grammatical explanations with examples and exercises. In addition, there's a vocabulary list at the end of the book. It contains the words and expressions of each unit along with supplementary vocabulary.

There are exercises for each grammar section. There's also an answer key to all the exercises at the end of the book.

 This headphone symbol behind the heading of a text, dialogue or exercise indicates that audio content is available for the corresponding section.

 This headphone with a pencil next to an exercise means that you will need to refer to the corresponding audio content to complete the exercise.

We have included info-boxes with extra content, tips, and recommendations throughout the book:

ABBREVIATIONS:

adj.	———	adjective	fml.	———	formal
lit.	———	literally	idiom.	———	idiomatic expression
adv.	———	adverb	infml.	———	informal
n.	———	noun	interj.	———	interjection
coll.	———	colloquialism			
part.	———	particle			
conj.	———	conjunction			
v.	———	verb			
pron.	———	pronoun			

HOW TO GET THE AUDIO FILES

Some of the exercises throughout this book come with accompanying audio files.
You can download these audio files if you head over to

www.lingomastery.com/spanish-gme-audio

Unit 1

HERRAMIENTAS GRAMATICALES CLAVE

CORE GRAMMAR TOOLS

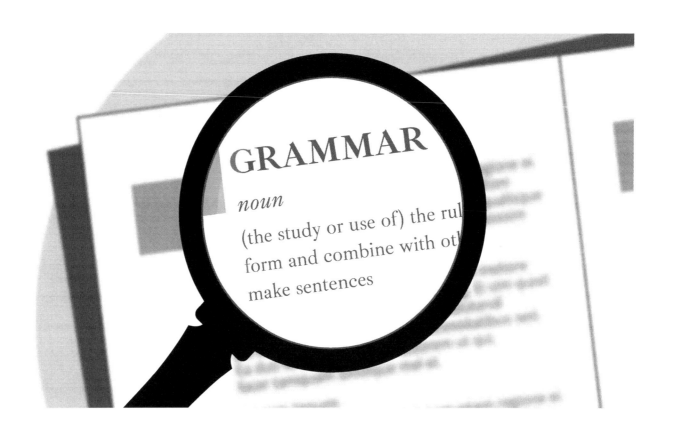

1.1 THE ALPHABET

EL ALFABETO

 PRONOUNCING THE ALPHABET (Find audio on page 10.)

The English and Spanish alphabets are pretty much the same except for the letter *ñ* after *n* in the latter. Here are the letters and their corresponding pronunciations:

A: a	D: de	G: ge	J: jota	M: eme	O: o	R: ere/erre	U: u	X: equis
B: be	E: e	H: hache	K: ka	N: ene	P: pe	S: ese	V: ve *or* uve	Y: ye, i griega
C: ce	F: efe	I: i	L: ele	Ñ: eñe	Q: cu	T: te	W: doble ve *or* doble u	Z: zeta

About the alphabet:

- Spanish letters are all feminine.

- In Spanish there is a difference in pronunciation between the letters *b* and *v*. The first one is soft and pronounced using both lips together; while *v* is stronger and pronounced using the upper teeth and the lower lip together. Although, they are pronounced the same in Spain and this difference can be seen only in the cultured speech of the Latin American countries.

- Up until 2010, the Real Academia Española had *ch*, *ll* and *rr* among their officially recognized letters. However, they were dropped after the alphabet was updated.

1.2 VOWELS

VOCALES

 (Find audio on page 10.)

LETTER	IPA PRONUNCIATION	SPANISH EXAMPLE	APPROXIMATE ENGLISH SOUND
Aa	/a/	1) Ana 2) Abajo	[a] as in "apple"
Ee	/e/	1) España 2) Elefante	[e] as in "set"
Ii	/i/	1) Ir 2) Isla	[i] as in "free"
Oo	/o/	1) Oído 2) Orar	[o] as in "orange"
Uu	/u/	1) Uno 2) Usar	[u] as in "boot"

About vowels:

- Most vowels have a single pronunciation and are always pronounced.

- The "u" is the exception and becomes silent in two situations:

  1. The pronunciation changes when it's after a *q* and before an *e* or an *i* (*que/qui*) and becomes either "ke" or "ki" respectively like in *quesadilla*.

  2. The *u* is silent when it's after a *g* and followed also by *e* or *i* (*gue/gui*). The pronunciation here is similar to the words "gamble" or "guilty." Can you say *guitarra*?

- The dieresis is also present in the Spanish language and its usual placement is on *güi* and *güe* combinations. It indicates you must pronounce the *u* in these words to make them sound like "wee" and "weh." The word *pingüino* is an example of it.

1.3 CONSONANTS
CONSONANTES

 (Find audio on page 10.)

LETTER	IPA PRONUNCIATION	SPANISH EXAMPLE	APPROXIMATE ENGLISH SOUND
Bb	/b/, /β/ (between vowels)	1) Boca 2) Haba	Same as in English
Cc	/k/, /s/ (before *e* and *i*) or /θ/ (in Spain) - /tʃ/ before an *h*	1) Casa 2) Hacer 3) Chorizo	Almost the same as in English, but in English it is pronounced with more air [tʃ] as in "cheese"
Dd	/d/, /ð/ (between vowels)	1) Diario 2) Dedo	Almost the same as in English, but in English it is pronounced with more air
Ff	/f/	1) Falta 2) Afín	Same as in English

Gg	/g/, /x/ (before *e* and *i*)	1) Gato 2) Genio	Same as in English when is followed by *a, o* or *u*
Hh	(silent)	1) Hoy 2) Ahora	*h* is always silent (except after a *c*)
Jj	/x/	1) Ojo 2) Jamón	/x/ is like a strong *h* in English
Kk	/k/	1) Kimono 2) Koala	[k] as in "car," but with less air when pronouncing the consonant
Ll	/l/, /j/ when it's double	1) Listo 2) Llamar	Same as in English [j] as in "yellow"
Mm	/m/	1) Mamá 2) Amor	Same as in English
Nn	/n/	1) Nosotros 2) Monja	Same as in English
Ññ	/ɲ/	1) Año 2) Ñu	As in "jalapeño"
Pp	/p/	1) Papá 2) Apreciar	Almost the same as in English, but in English it is pronounced with more air
Qq	/k/	1) Que 2) Aquí	Almost the same as in English, but in English it is pronounced with more air
Rr	/r/ (at the beginning of words, when it's doubled and after an *n*), /ɾ/ (at the end of words, between vowels, and between a vowel and a consonant unless after an *n*)	1) Ron 2) Carro 3) Honrar 4) Paro 5) Burla	[r] this is a rolled *r* as in the Scottish pronunciation of "car" i.e., with a slight flick or vibration of the tongue. [ɾ] is like the *dd* in "ladder"

Ss	/s/	1) Sol 2) Asta	Same as in English
Tt	/t/	1) Tarea 2) Atroz	Almost the same as in English, but in English it is pronounced with more air
Vv	/b/, /β/ (between vowels)	1) Ver 2) Avivar	It should sound the same as in English, but it's usually pronounced as "b"
Ww	/w/	1) Wifi 2) Whisky	This only occurs in loan words in Spanish and its pronunciation varies. The most common variations are [β], [b] and [w]
Xx	/ks/	1) Xilófono 2) Éxodo	[ks] as in "extra"
Yy	/j/	1) Yo 2) Ayer	[j] as in "yellow" when it is used in combination with a vowel, but when on its own it is weakened to [i]
Zz	/s/ or /θ/ (in Spain)	1) Zorro 2) Azar	/s/ just like in English or [θ] as in "think"

Are you ready for some exercises? Let's go!

EJERCICIOS I
EXERCISES I

1) Write the alphabet in order and write a word for each letter. You can use the dictionary! Then, listen and repeat. (Find audio on page 10.)

E.g., Ñ: ñoqui.

2) Listen to the vowels in Spanish and repeat.

A
E
I
O
U

3) Listen to the words and complete with the correct consonant.

a) CA_____A

b) PARA_____UAS

c) CAN_____IÓN

d) TO_____MENTA

e) ME_____A

f) NACIO_____ALIDAD

g) HOS_____ITAL

h) A_____IGOS

i) ES_____UDIAR

j) CUA_____ERNO

1.4 ACUTE ACCENT
ACENTO AGUDO

Acentos are orthographic signs that are written over certain vowels to indicate stressed syllables in words. In the case of the acute accent, it is represented by a small diagonal line that goes down from right to left, and in Spanish it can only be written over one vowel in the corresponding word, always obeying some simple rules. In this regard, acute accents serve three functions:

· to separate homonyms

· to signify questions and exclamations

· to show the syllable stress when saying a word aloud

A stressed syllable has greater emphasis than those around it and Spanish speakers signal it through pronunciation. There are different ways to do it. It could be an increased vowel length, greater intensity, or a higher pitch.

This stress is important as its location alters the meaning of words. For instance, the words *célebre* and *celebré* have different meanings – the first means "famous," and the second, "I celebrated." Their pronunciation depends on the location of the stressed syllable.

As we said above, only vowels have acute accents – *á, é, í, ó, ú*. Native speakers learn to pronounce them by heart through listening. Here are two basic rules for knowing which words and syllables to stress. We'll introduce others later on.

Rule #1: Words ending in a consonant (except for n or s) without an accent mark. The stress on these is on the last syllable. These are *palabras agudas* and must have an accent mark on the last syllable otherwise.

E.g.   *bondad* (bon-dad). (kindness.)
cartel (car-tel). (cartel.)

Rule #2: Words that end in a vowel, or the consonants n and s without an accent mark. Their stress is on the penultimate syllable. These are *palabras graves* and must have an accent mark on the second to last syllable otherwise.

E.g.   *pasos* (pa-sos). (steps.)
golpe (gol-pe). (hit.)

It's worth mentioning that it is easier to learn stress by listening, but these rules are useful, as well as knowing that all the *palabras esdrújulas* and *sobreesdrújulas* must be accented (these are the words in which tonic syllable is the antepenultimate syllable and the one before it, such as *cámara* and *asegurándoselo*, respectively).

Of course, there are exceptions to these rules: for example, words ending in *mente* are accented according to the above rules but without taking this ending into consideration (*lentamente*, *hábilmente*). Other exceptions are the words ending in y (such as *estoy* and *voy*) and *palabras graves* which last syllable is formed by a diphthong (such as *conocías* and *quería*).

Nevertheless, the other use of acute accents within the Spanish language is to identify homonyms. These are words with the same spelling but different meanings.

Some of the most common ones (when it comes to accentuation) are:

- *mi* (my) vs *mí* (me)

- *mas* (but) vs *más* (more)

- *si* (if) vs *sí* (yes)

- *el* (the) vs *él* (he)

- *papa* (pope) vs *papá* (dad)

There are few rules to know the types of words that need acute accents to separate them from their homonyms, but they really depend on the meaning of the words. Note also that not all homonyms within the Spanish language are set apart with acute accents.

Finally, *acentos* are helpful to show Spanish question words or some exclamations (e.g., ¡*Qué hermosa sonrisa!*):

- *cual (*which*) vs ¿cuál?* (which?)

- *cuando* (when) and *¿cuándo?* (when?)

- *donde* (where) and *¿dónde?* (where?)

- *quien* (who) and *¿quién?* (who?)

- *que* (that) and *¿qué?* (what?)

In short, acute accents are a helpful guide for pronunciation and comprehension purposes.

1.5 PERSONAL PRONOUNS
PRONOMBRES PERSONALES

All nouns in Spanish are either masculine or feminine. This is one of its fundamental differences from the English language, so you have to learn them along with their gender. In addition, the meaning, origin, and ending of a word determine its gender.

- Masculine nouns: **el** *padre* (the father), **el** *libro* (the book)
- Feminine nouns: **la** *chica* (the girl), **la** *casa* (the house)

THE PERSONAL PRONOUNS IN SPANISH

Pronouns and verbs have three persons. "I" is the first person in the singular form, "you" is the second, and "he" or "she" is the third (being "it" when it's an animal or an object).

The first-person plural is "we." The second-person plural is "you" – it can be singular or plural in English. Finally, the third-person plural is "they."

SINGULAR	
Yo	I
Tú/Vos	You (informal)
Él	He (or "it" for a masculine animal or object)
Ella	She (or "it" for a feminine animal or object)
Usted	You (formal)
PLURAL	
Nosotros/Nosotras	We (masculine/feminine)
Vosotros/Vosotras	You (informal, masculine/feminine) (Spain)
Ellos/Ellas	They (masculine/feminine)
Ustedes	You (formal/informal)

NOTES:

- *Vosotros* and *vosotras* are only used in Castilian Spanish. *Ustedes* is also formal and more common in Latin American Spanish.

- The masculine plural (*nosotros* and *ellos*) is for speaking about two or more people, animals, or objects. It can be masculine or feminine as in *nosotras* and *ellas*.

- *Voseo*, the use of *vos* is common in certain parts of Latin America, like Argentina, Uruguay, Paraguay, and Costa Rica, and some areas of Bolivia, Chile, Colombia, Cuba, Ecuador, El Salvador, Guatemala, Honduras, Mexico, Nicaragua, Panama, Peru, and Venezuela. *Voseo* is an important part of *Rioplatense* Spanish (which is mainly used in Argentina and Uruguay,) but what really gives the inhabitants of this region away when speaking is the *"yeísmo rehilado,"* which means the pronunciation of *y* and *ll* as sh.

Spanish personal pronouns are easy to use. All you need to do is find one that agrees in number (singular or plural) and gender (feminine or masculine) with the subject you want to describe. Make sure the selected pronoun corresponds to the form of the verb as well.

For example, if you want to refer to a guy named *Carlos* without repeating his name over and over, you can use the pronoun *él*, as in English.

E.g.   *Carlos es una buena persona. Él tiene dos hijos.*
       (Carlos is a good person. He has two children.)

In most cases, you can omit Spanish personal pronouns through the right conjugation. This means that *Yo vivo en el campo* is the same as *Vivo en el campo*. The pronoun will stay at the beginning of the sentence to emphasize who performs the action. However, you can skip it in casual conversations and sound more natural.

CULTURAL NOTE

Language is a flexible social construct. It's subject to constant changes that reflect the way societies think about themselves, which is why it's periodically removing obsolete words and adding new ones that have become part of the popular language. It's important to note that the standardization of the masculine for plural nouns, that is now under scrutiny by a small minority, comes from the Latin roots of the language. Thus, even when you can rarely find *nosotres, elles, vosotres*, etc. as gender-neutral pronouns, this rule hasn't been approved by RAE and the vast majority of people don't use it or agree to use it.

1.6 ARTICLES
ARTÍCULOS

In Spanish grammar, articles before nouns signal gender. Some are indefinite (*un, una, unos, unas*) and others definite (*el/los, la/las, lo*).

		DEFINITE ARTICLES		INDEFINITE ARTICLES	
SINGULAR	**MASCULINE**	El	El tren	Un	Un tren
	FEMININE	La	La estación El* águila	Una	Una estación Un* águila
	NEUTRAL	Lo	Lo bonito		-
PLURAL	**MASCULINE**	Los	Los trenes	Unos	Unos trenes
	FEMININE	Las	Las estaciones Las águilas	Unas	Unas estaciones Unas águilas

---

* Feminine nouns that start with a stressed *a* or *ha* (even if they don't have accent marks) take the definite singular article **el** – as in **el** *águila*. This is only to ease pronunciation and the noun and its complements remain feminine. In plural it remains feminine, using *las* – as in *las águilas*.

THE DEFINITE ARTICLES IN SPANISH

The equivalent of "the" has four forms in Spanish that refer to the gender and number of the nouns.

- Singular: *el*, *la*

- Plural: *los*, *las*

> E.g. **El** *chico y* **la** *chica fueron al parque*. (**The** boy and **the** girl went to the park)
> **Los** *chicos y* **las** *chicas fueron al parque*. (**The** boys and **the** girls went to the park)

You use *el/la/los/las* in the following cases:

- With a noun for a specific person, animal or thing.

> E.g. *Mañana es* **el** *último día de clases*. (Tomorrow is **the** last day of school.)

- With nouns that refer to something general.

> E.g. **La** *casa siempre huele bien*. (**The** house always smells good.)

- Before the days of the week.

> E.g. *Yo lo enviaré* **el** *sábado*. (I will send it on Saturday.)

There are no articles after the verb *ser*: *Hoy* **es** *jueves* (Today is Thursday); *Ayer* **fue** *miércoles* (Yesterday was Wednesday); *Mañana* **será** *viernes* (Tomorrow will be Friday).

- With instruments, games and sports after the verbs *jugar* and *tocar* (although the article is not always necessary in this case).

> E.g. *Toco* **el** *piano espléndidamente*. (I play **the** piano splendidly.)
> *Juego a* **los** *dados con mi tía*. (I play dice with my aunt.)

- With a reflexive verb to talk about body parts, instead of a possessive determiner.

> E.g. *Me duele* **la** *espalda*. (My back hurts.)

- To state the time.

  E.g.   *Son **las** tres y cuarto.* (**It's** quarter past three.)

- In titles.

  E.g.   ***La** doctora es famosa por su trabajo en **el** campo de **la** biología.*
  (**The** doctor is famous for her work in **the** biology field.)

- To refer to a family's last name in plural.

  E.g.   ***Los** Fernández son muy unidos.* (**The** Fernandezes are very close.)

- With the names of geographical places – such as mountains, rivers, lakes, seas and oceans.

  E.g.   ***El** Río de la Plata da su nombre a la región rioplatense.*
  (**The** Rio de la Plata gives its name to the Rioplatense region.)

  ***El** Aconcagua es una montaña ubicada en la provincia de Mendoza.*
  (**The** Aconcagua is a mountain located in the province of Mendoza.)

- With infinitives that function as nouns.

  E.g.   ***El** estudiar es importante para **los** jóvenes.*
  (Studying is important for young people.)

  ***El** conocimiento no ocupa espacio.*
  (Knowledge doesn't take up space.)

- With percentages.

  E.g.   ***El** 90% de **los** alumnos aprobó **el** examen de matemáticas.*
  (90% of students passed **the** math exam.)

The definite article *lo* only exists in the singular and is never before a noun – because there are no neutral nouns in Spanish. The article *lo* is used in the following cases:

- Before adjectives, participles, and ordinal numbers not followed by a noun.

  E.g.   *interesante*   →   ***lo** interesante.* (the interesting thing.)
  pasado   →   ***lo** pasado.* (the past.)
  primero   →   ***lo** primero.* (the first.)

- As an alternative to exclamations or questions with *qué* + adjective/adverb.

  E.g.   *¡**Lo** rápido que iba ese auto!* (**How** fast that car was going!)
         *¿Viste **lo** rápido que iba ese auto?* (Did you see **how** fast that car was going?)

- The prepositions *a/de* and the masculine article *el* are usually contracted into one word. These are the only two contractions that exist in the Spanish language.

  a + el = al

  E.g.   *Vamos **al** supermercado.* (We are going **to the** supermarket.)

  de + el = del

  E.g.   *Este libro es **del** profesor.* (This book is **the** teacher's.)

  – A preposition cannot go along the indefinite article (explanation below).

  E.g.   *Vamos **a un** espectáculo de flamenco para mi cumpleaños.*
         (We are going **to a** flamenco show for my birthday.)

THE INDEFINITE ARTICLES IN SPANISH

The equivalents of English "a," "an," and the plural of "some," are:

	MASCULINE	FEMININE
SINGULAR	Un	Una
PLURAL	Unos	Unas

  E.g.   ***Un** niño y **una** niña.* (**A** boy and **a** girl.)
         ***Unos** niños y **unas** niñas.* (**Some** boys and **some** girls.)

The indefinite articles are used in the following situations:

- To mention something vague.

  E.g.   *María es **una** amiga de Ana.* (María is **a** friend of Ana.)

- To mention an approximate quantity in plural.

  E.g.   *Estamos a **unas** 20 cuadras de mi casa*
         (We are **about** 20 blocks away from my house.)

- To describe specific characteristics of a person using a noun or adjective.

  E.g.   *Esa chica es **un** amor.* (That girl is lovely.)

- With *hay,* the impersonal form of the verb *haber*.

  E.g.   *Hay **un** perro en la puerta de mi casa.* (There's **a** dog at my door).

Now, let's practice what we have learned so far.

Articles aren't used in Spanish in these cases:

- With the verb *ser* + profession.

  E.g.   *Juana **es** profesora.* (Juana **is** a professor.)

- With the verb *ser* + nationality, religious faith, mood, way of feeling or any adjective.

  E.g.   ***Soy** argentina.* (I **am** Argentinian.)
         ***Es** católica.* (She **is** Catholic.)
         ***Son** felices.* (They **are** happy.)

- With unspecified quantities.

  E.g.   *¿Contiene huevo?* (Does it contain egg?)

- Before names for individual people, organizations, and places (cities, countries, regions), except when the definite article is part of the name; i.e., the United Kingdom.

  E.g.   *Lorena trabaja en Argentina.* (Lorena works in Argentina.)
                 but
         *Fátima vive en **los** Emiratos Árabes Unidos.* (Fátima lives in the UAE.)

- With ordinal numbers in titles.

  E.g.   ***Alfonso X** era conocido como "el Sabio."* (Alfonso X was known as "the Wise.")

- With languages or school subjects, except when they form the subject of the sentence.

    E.g.   *Hablo japonés y ruso*. (I speak Japanese and Russian.)
            ***El** chino es un idioma maravilloso*. (Chinese is a wonderful language.)

- Before the names of months.

    E.g.   *Marzo tiene 31 días*. (March has 31 days.)

- For seasons or means of transportation when used with the preposition *en*.

    E.g.   ***En** verano*. (In Summer.)
            *Ir **en** auto*. (To go by car.)

- Before *otro* and *medio*, except when referring to a specific subject.

    E.g.   *Quiero **otro** café*. (I want **another** coffee.)
            *Nos encontraremos a **mediodía***. (We'll meet at **noon**.)

- After many verbs as *usar*, *llevar,* and *tener*, except when referring to a specific subject.

    E.g.   ***Usar** medias*. (To wear socks.)
            ***Tener** auto*. (To have a car.)

It's time for some exercises, don't you think?

EJERCICIOS II
EXERCISES II

1) Write the accents where and when it is necessary.

    a) CIUDAD   **f)** DECISION

    b) HABITACION   **g)** MANZANA

    c) ESCUELA   **h)** MELON

    d) PAIS   **i)** CAMION

    e) SILLA   **j)** ARBOL

2) Replace the bold word with a personal pronoun.

    a) Jorge tiene dos hermanas.   _____

    b) Rubén y Darío son primos.   _____

    c) Carlos, Mario y Pedro juegan al fútbol.   _____

    d) Esteban tiene sueño.   _____

    e) Cecilia y yo tenemos hambre.   _____

    f) Rosa y Roberta hablan mucho.   _____

    g) Miguel es alto.   _____

    h) El perro ladra todo el día.   _____

    i) Federico y tú son estudiosos.   _____

    j) Mi mamá y mi papá se van de vacaciones.   _____

3) Write the correct article before the nouns.

a) _____ avión

b) _____ gatos

c) _____ estudiantes

d) _____ lápiz

e) _____ maestras

f) _____ bananas

g) _____ libro

h) _____ tren

i) _____ águila

j) _____ agua

1.7 CARDINAL NUMBERS
NÚMEROS CARDINALES

Spanish numbers are confusing to anyone learning the language as some change according to the gender of the nouns to which they apply – only those ending in one. Zero (*cero*) is the easiest one and then:

1	2	3	4	5	6	7	8	9	10
uno	dos	tres	cuatro	cinco	seis	siete	ocho	nueve	diez
11	**12**	**13**	**14**	**15**	**16**	**17**	**18**	**19**	**20**
once	doce	trece	catorce	quince	dieciséis	diecisiete	dieciocho	diecinueve	veinte

- Numbers between 20 (*veinte*) and 30 (*treinta*) are also written as a single word.

    E.g.   Veintiuno (21), veintidós (22), veintitrés (23), veinticuatro (24), veinticinco (25), veintiséis (26), veintisiete (27), veintiocho (28), veintinueve (29), treinta (30).

- Numbers after 30 ending in 0 are written with a single word and the others with three words.

    E.g.   Treinta y uno (31), cuarenta (40), cuarenta y uno (41), cincuenta (50), cincuenta y uno (51), sesenta (60), sesenta y uno (61), setenta (70), setenta y uno (71), ochenta (80), ochenta y uno (81), noventa (90), noventa y uno (91).

- A hundred can be either *cien* or *ciento,* depending on the context.

    – It is *cien* when followed by a plural noun.

        E.g.   *Cien hombres*. (One hundred men.)

    – It is *ciento* when followed by another number and *cientos* when followed by the preposition *de* and a plural noun.

        E.g.   *Ciento veintiocho* (One hundred twenty-eight.)
        Cientos de casas. (Hundreds of houses.)

- The exception to this rule is *cien mil* (100 000) and then *cien mil uno* (100 001) and so on.

- Numbers above *cien* (one hundred) are as follows: *doscientos* (two hundred,) and continue as *trescientos* (three hundred,) *cuatrocientos* (four hundred,) *quinientos* (five hundred,) *seiscientos* (six hundred,) *setecientos* (seven hundred,) *ochocientos* (eight hundred,) *novecientos* (nine hundred,) *mil* (one thousand.) It should be noted that *doscientos, trescientos*, etc., can change to *doscientas, trescientas*, etc, if they are followed by a feminine plural noun.

> E. g.   *Tengo trescientas hectáreas de tierra*. (I have two hundred hectares of land.)

The cardinal numbers have little variation with the exception of:

- *Uno* becomes *un* before a masculine noun and *una* before a feminine one.

> E.g.   **Un** *buen trabajo*. (**A** good job.)
> **Una** *buena charla*. (**A** good talk.)

- *Ciento* becomes *cien* before nouns, *mil* and *millón* stay the same.

> E.g.   **Mil** *ciento veintidós piezas de rompecabezas*.
> (one thousand one hundred and twenty-two puzzle pieces.)
>
> *Un* **millón** *ciento veintidós* **mil** *doscientos veintidós litros de agua*.
> (One million one hundred and twenty-two thousand two hundred and twenty-two liters of water.)

- The preposition *de* is needed after the noun *millón*.

> E.g.   *Un millón* **de** *pesos*. (A million pesos.)
> *Tres millones* **de** *personas*. (Three million people.)

1.8 ORDINAL NUMBERS
NÚMEROS ORDINALES

	MASCULINE	FEMININE
THE FIRST	El primero	La primera
THE SECOND	El segundo	La segunda
THE THIRD	El tercero	La tercera
THE FOURTH	El cuarto	La cuarta
THE LAST	El último	La última

E.g.　　*El primero* en la fila es el más bajo.
(**The first one** in the line is the shortest.)

La segunda Copa Mundial de la FIFA fue levantada por Italia.
(**The second** FIFA World Cup was lifted by Italy.)

La última en llegar lava los platos.
(**The last one** to arrive washes the dishes.)

Shortened forms:

Primero and *tercero*, like *alguno, ninguno, bueno,* and *malo*, lose their final vowel before a masculine singular noun.

E.g.　　*El **primer** jugador del equipo es el capitán.*
(The **first** player of the team is the captain.)

*El **tercer** plato no estuvo bueno.*
(The **third** dish wasn't good.)

EJERCICIOS III
EXERCISES III

1) Listen to the numbers and write them into words.

a) 27 _____

b) 29 _____

c) 8 _____

d) 3 _____

e) 13 _____

f) 15 _____

g) 17 _____

h) 34 _____

i) 95 _____

j) 100 _____

2) Translate the following ordinal numbers into Spanish, and then arrange them in ascending order.

a) The second _____

b) The last _____

c) The third _____

d) The first _____

e) The fourth _____

1.9 DAYS OF THE WEEK
DÍAS DE LA SEMANA

 Listen:

Lunes	Martes	Miércoles	Jueves	Viernes	Sábado	Domingo
Monday	Tuesday	Wednesday	Thursday	Friday	Saturday	Sunday

You can trace the historical origin of the names of the week in Spanish back to Roman mythology. For instance, *lunes* (Monday) comes from *luna* (moon), *martes* (Tuesday) from *Marte* (Mars), and *miércoles* and *jueves* from *Mercurio* (Mercury) and *Júpiter* (Jupiter), respectively. Similarly, *viernes* (Friday) and *sábado* (Saturday) come from *Venus* (Venus) and *Saturno* (Saturn). Finally, *domingo* (Sunday) comes from *domenicos*, Latin for the Lord's Day.

- The days of the week in Spanish are masculine and lowercase, unless they're at the beginning of a sentence, as every other word that is lowercase.

- The definite article to use before days is *el* when talking about a specific day.

  E.g. **El** *lunes voy a jugar tenis*. (On Monday, I am going to play tennis.)

- The definite article to use when talking about an action that takes place regularly is the plural noun *los*.

  E.g. **Los** *lunes voy al club*. (On Mondays, I go to the club.)

1.10 MONTHS OF THE YEAR
MESES DEL AÑO

Words for months in English and Spanish are similar due to their Roman common heritage, by which the months were named after gods, emperors, or even numbers. For example, January was named after the god *Iano*, formerly *Ianuro*, who was the protector of doors and entrances; August pays homage to Emperor Augustus and November was so named because it was the ninth month of the ancient calendar (*November* in Latin), and so with the other months. Also, the names of the months in Spanish are masculine and lowercase.

The pattern for writing Spanish dates is Day + Month + Year, that is DD/MM/YYYY

E.g.   25/12/2021

 They are:

Enero	January
Febrero	February
Marzo	March
Abril	April
Mayo	May
Junio	June
Julio	July
Agosto	August
Septiembre	September
Octubre	October
Noviembre	November
Diciembre	December

1.11 TELLING THE TIME
DAR LA HORA

Telling the time in Spanish is pretty straightforward. You use *es*, the singular form of *ser* (to be) only when referring to one or *son* in the plural form for the rest of the numbers (either until 11:59 p.m. or 23:59). These verbs directly precede the corresponding definite article and then the hour and the minutes.

E.g. **Es** *la una.* (It's one o'clock.)
   Son *las dos en punto.* (It's two o'clock.)

- When adding minutes, you'll need to add the conjunction *y.*

  E.g. **Es** *la una **y** diez.* (It's ten past one.)
     Son *las tres **y** veinte.* (It's twenty past three.)

- As in English, "quarter past" and "half past," certain segments are expressed with a particular word instead of a number.

  E.g. *Son las doce **y media**.* (It's **half past** twelve.)
     *Son las cinco **y cuarto**.* (It's **quarter past** five.)

Add the following at the end to express the time of the day when you tell the time.

de la mañana	morning
de la tarde	afternoon
de la noche	after dark

NOTES:

As in English, *medianoche* and *mediodía* are specific words for "midnight" and "midday," respectively. It is not possible to add fractions to *medianoche* and *mediodía* as you would in English.

The other way to tell the time in Spanish is using all 24 hours of the day. It begins at 00 and ends at 23:59. This is not the most usual way to tell the time, but you'll hear it from time to time. This system doesn't require you to specify the period of time in which the hour mentioned takes place. It's implied by the number itself. Thus, the day begins at *medianoche* (00hs/midnight).

There are 23 hours after that with 60 seconds each. 12 hours is midday and then it continues to 13 hours, *las trece horas* (1 p.m.), 14 hours (*las catorce*) or 2 in the afternoon, 15 hours, 16 hours, and so on.

This system doesn't use fractions and the minutes are always expressed with their number and the word *minutos.* The hour and the minutes are united by *y* or *con:*

 E.g. *Siete horas **con** cuarenta **y** cinco minutos.* (7:45 hours.)
    *Dieciocho horas **y** diecinueve minutos.* (18:19 hours.)

Let's find out how much you know about time in Spanish!

EJERCICIOS IV
EXERCISES IV

1) Write the days of the week in Spanish in the correct order.

_____

_____

_____

_____

2) Rewrite the following dates using words in Spanish.

a) 25/11/1975 _____

b) 13/1/1842 _____

c) 9/3/1999 _____

d) 31/12/2000 _____

3) Write the time in Spanish.

a) 14:55 _____

b) 3:00 _____

c) 01:15 _____

d) 5:30 _____

e) 4:45 _____

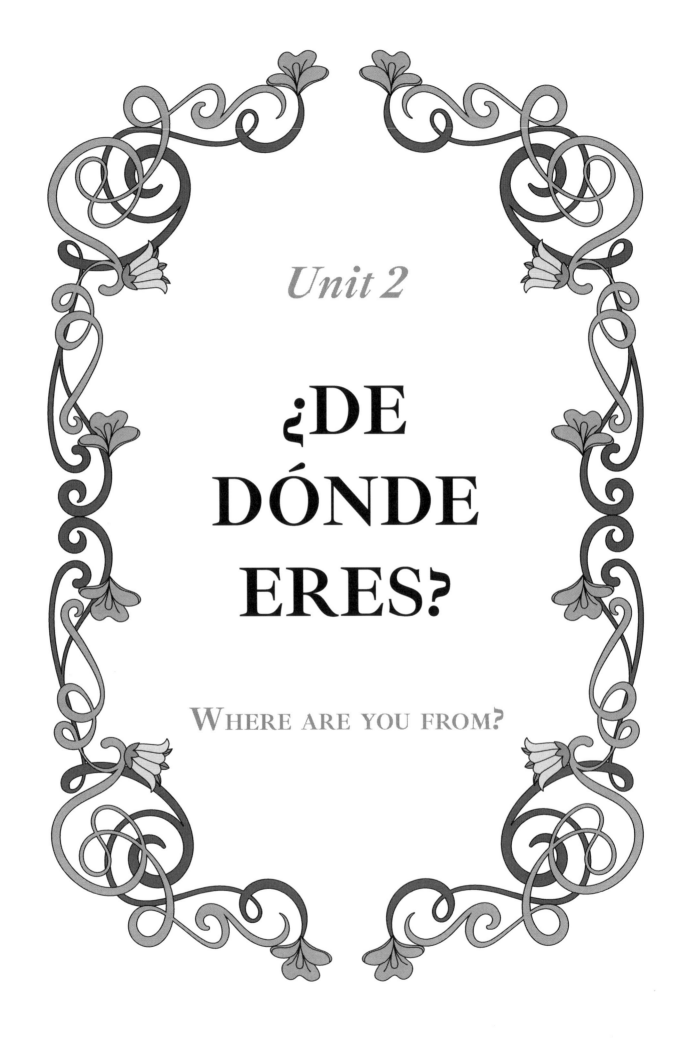

Unit 2

¿DE DÓNDE ERES?

WHERE ARE YOU FROM?

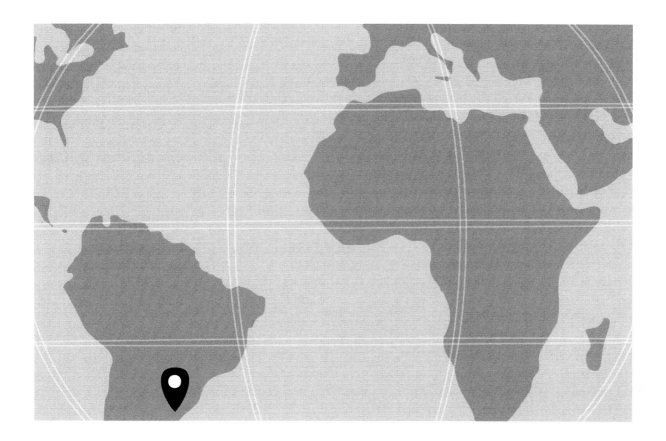

Ready to try some reading?

Hola, soy Paula, tengo veinte años y nací en Uruguay. Soy uruguaya. Tengo una familia hermosa y un gato muy gracioso. Su nombre es Rafael y le encanta saltar, jugar, descansar y pasear por los techos. Ahora estoy en el sofá con él mirando nuestro programa favorito: ¡Garfield!

Just a few quick questions for you:

- What is the girl's name?

- Where is she from?

- What's her nationality?

- What pet does she have?

- What does her pet like doing?

If you were able to answer the questions above orally, even by guessing, it means you are showing great progress and Spanish is not as difficult as you thought! We are now ready to go on!

First things first: As you may have seen, the verbs in Spanish change depending on the speaker and the tense. In the text above, Paula is the speaker talking about her life, and she is using the pronoun *yo* (I).

On the other hand, the verbs are formed by a **root** and an **ending**, which will help you follow patterns to conjugate them correctly.

There are **regular** and **irregular** verbs. The regular verbs are those that do not change the root when they are conjugated, while irregular verbs do change entirely with the different conjugations.

In addition, according to the rules of verb conjugation, there are four different models for classifying verbal forms: the indicative, imperative and subjunctive modes, and the non-personal forms (gerund, infinitive and participle), which will be developed throughout the book.

In this regard, it should be noted at this point that in the infinitive form, there are 3 groups of verbs according to their endings (*-AR*, *-ER*, *-IR*).

E.g.   *mir**ar*** (to see)   *corr**er*** (to run)   *sal**ir*** (to go out)

However, before getting there, let's start by introducing three important verbs.

2.1 TO BE AND TO HAVE
SER, ESTAR Y TENER

Before jumping to the regular verbs and the present tense, we will present formally these three VERY important verbs that will help you introduce yourself, talk about your family, who you are, and express what you like doing, among other things.

- *Ser* (to be)

- *Estar* (to be)

- *Tener* (to have)

Can you find them in Paula's text? Sure you can! Of course, you will see them in different forms because they are conjugated in the first person: *soy* (I am), *estamos* (we are), *tengo* (I have).

These three verbs, which are as important in Spanish as in any other language, may be confusing if you are an English speaker. As you can see, two of them are the verb *to be*, while one of them, *tener*, is usually "have" — but not always!

In Spanish, you should know which one to use depending on what you are saying. Let's see some examples from the introductory text:

- *Yo **soy** Paula*. (I am Paula.)

- ***Estoy** en el sofá*. (I am on the sofa.)

- *Yo **tengo** veinte años*. (I am twenty years old.)

I am, I am, I am! Wow! English speakers use the structure **I am** in the three cases, while Spanish speakers use three different verbs. So, how would you recognize them?! Don't panic! Here is the explanation to differentiate and use them correctly:

The verbs *ser* and *estar* in Spanish are the verb "to be" in English.

The verb *ser* is used in the following cases:

- In the present tense of passive voice.

    E.g.   *La revista **es** publicada por los alumnos*.
    (The magazine **is** published by the students.)

- To talk about existence.

    E.g.   *Ella **es** la mejor maestra*. (She **is** the best teacher.)

- To say one's nationality.

    E.g.   *Yo **soy** española*. (I **am** Spanish.)

- To tell the time.

    E.g.   ***Son** las 3 de la tarde.* (It **is** 3 in the afternoon)

- To say someone is capable of something.

    E.g.   *Ellos **son** inteligentes*. (They **are** intelligent.)

- To describe someone's appearance and personality.

    E.g.   *Tú **eres** guapo y agradable.* (You **are** handsome and nice.)

- When saying whose something is.

    E.g.   *Esto **es** de mi hermana.* (This **is** my sister's.)

The verb *estar* is used to talk about:

- The place where someone or something is located, as well as the distance.

    E.g.   *Ella **está** en París.* (She **is** in Paris.)
             *Él **está** lejos.* (He **is** far away.)

- The state or mood of the subject.

    E.g.   *Ellos **están** locos.* (They **are** crazy.)

- What is happening now.

    E.g.   *La señora **está** durmiendo.* (The woman **is** sleeping.)

- The current day, month, or year.

    E.g.   ***Estamos** en febrero.* (We **are** in February.)

- The price.

    E.g.   *Las bananas **están a** 10 dólares.* (The bananas **are** 10 dollars.)

- Who someone is with.

    E.g.   ***Estoy** con mi madre en el parque.* (I **am** with my mother in the park.)

And the third verb, *tener* (have), is used in the following situations:

- To talk about possessions.

    E.g.   *Ella **tiene** un perro.* (She **has** a dog.)

- To say what you have to do.

    E.g.   ***Tengo*** *que estudiar*. (I **have** to study.)

- To express what someone's experiencing.

    E.g.   *Ellos **tienen** miedo*. (They **are** scared.)

- To say someone's age.

    E.g.   *Yo **tengo** 20 años*. (I **am** 20 years old.)

- To express feelings for someone or something.

    E.g.   *Yo **tengo** cariño por los animales desamparados*.
    (I **have** a fondness for homeless animals.)

NOTE:

In some cases, the verb "to be" is translated into Spanish as *tener*; for example, when we are saying how old we are or we express feelings we are experiencing, as in the examples above. Here you can see the conjugation of the first three verbs we have introduced:

Ser (to be)

Yo	Soy
Tú	Eres
Vos	Sos
Usted	Es
Él/Ella	Es
Nosotros/Nosotras	Somos
Vosotros/Vosotras	Sois
Ustedes	Son
Ellos/Ellas	Son

Estar (to be)

Yo	Estoy
Tú	Estás
Vos	Estás
Usted	Está
Él/Ella	Está
Nosotros/Nosotras	Estamos
Vosotros/Vosotras	Estáis
Ustedes	Están
Ellos/Ellas	Están

Tener (to have)

Yo	Tengo
Tú	Tienes
Vos	Tenés
Usted	Tiene
Él/Ella	Tiene
Nosotros/Nosotras	Tenemos
Vosotros/Vosotras	Tenéis
Ustedes	Tienen
Ellos/Ellas	Tienen

To be or not to be, how is it in Spanish?

EJERCICIOS I
EXERCISES I

1) Read the situation and the following dialogue thoroughly, and complete with the correct form of the verbs in brackets. Then, listen and check.

Dana está con su smartphone y recibe un mensaje de un amigo misterioso.

Amigo: Hola, ¿cómo **a)** _____ (estar)?

Dana: ¿Quién eres?

Amigo: ¿No sabes quién **b)** _____ (ser)? No somos amigos aún.

Dana: ¿**c)** _____ (ser) hombre o mujer?

Amigo: Soy hombre y quiero ser tu amigo. Nos conocemos...

Dana: ¿Nos conocemos? ¿Eres alto?

Amigo: Soy alto, guapo y divertido. **d)** _____ (ser) conocidos del club.

Dana: ¿Tus amigos son del equipo de fútbol?

Amigo: Sí... mis amigos **e)** _____ (ser) tus amigos.

Dana: ¿Tienes una hermana de mi edad?

Amigo: Mi hermana es tu amiga.

Dana: Ya sé... **f)** _____ (ser) el hermano de Melisa.

Amigo: ¡Correcto! ¿Puedo ser tu amigo?

Dana: Bueno, puede **g)** _____ (ser) Me agradas...

2) Use Paula's text at the beginning of this unit as a guide to introduce yourself. Make sure you follow the structure of the text.

_____

_____

_____

_____

3) Read the following text and answer the questions using one to three words.

> ¡Hola! Mi nombre es Morticia Addams. Soy de Estados Unidos. Soy una mujer delgada, alta y hermosa. Tengo la cara blanca y el pelo largo y negro. Soy joven. Mi comida favorita es la pizza. Tengo una gran familia. Tengo dos hijos: Pugsley y Wednesday. Pugsley es bajo, un poco gordo y pelirrojo; Wednesday es alta, delgada y muy seria. Gómez es el padre de esta graciosa familia y mi esposo. Lo amo. No tengo perros ni gatos, pero tengo una serpiente encantadora. Mi casa es grande, oscura y sucia. Hay un viejo sofá en mi salón, una mesa antigua y diez sillas en la cocina. Mi casa está llena de murciélagos. El jardín es verde oscuro y no hay flores. Hoy tengo puesto un vestido largo y zapatos negros. ¡Me encanta el negro!

a) ¿Cuál es su nombre? _____

b) ¿Cuál es el apellido de la familia? _____

c) ¿De qué color tiene la piel? _____

d) ¿Cuál es su comida favorita? _____

e) ¿Su familia es grande o pequeña? _____

f) ¿Quién es Pugsley? _____

g) ¿Es Gómez hijo de Morticia? _____

h) ¿Cuántos gatos tiene? _____

i) ¿Cuál es su color favorito? _____

j) ¿De dónde es? _____

2.2 REGULAR INFINITIVE VERBS ENDING IN *-AR*
VERBOS REGULARES EN INFINITIVO QUE TERMINAN EN -AR

In this section, we are going to talk about the first group of infinitive verbs, those ending in *-AR*. When a regular verb ends in *-AR*, you can follow this pattern when conjugating in present simple (taking the stem of the word and changing *-AR* for one of the following endings):

PRONOUN	ENDING IN -AR
Yo	-o
Tú	-as
Vos	-ás
Usted	-a
Él/Ella	-a
Nosotros/Nosotras	-amos
Vosotros/Vosotras	-áis
Ustedes	-an
Ellos/Ellas	-an

These are verbs from Paula's text. Pay attention to the conjugation:

PRONOUN	SALTAR (TO JUMP)	DESCANSAR (TO REST)	PASEAR (TO GO FOR A WALK)
Yo	salt**o**	descans**o**	pase**o**
Tú	salt**as**	descans**as**	pase**as**
Vos	salt**ás**	descans**ás**	pase**ás**
Usted	salt**a**	descans**a**	pase**a**
Él/Ella	salt**a**	descans**a**	pase**a**
Nosotros/Nosotras	salt**amos**	descans**amos**	pase**amos**
Vosotros/Vosotras	salt**áis**	descans**áis**	pase**áis**
Ustedes	salt**an**	descans**an**	pase**an**
Ellos/Ellas	salt**an**	descans**an**	pase**an**

And, there are some common regular verbs ending in *-AR*. Do you think you can conjugate them by looking at the previous examples? Sure, you can!

- *Am**ar*** (to love)

- *Bail**ar*** (to dance)

- *Camin**ar*** (to walk)

- *Cocin**ar*** (to cook)

- *Compr**ar*** (to buy)

- *Escuch**ar*** (to listen)

- *Habl**ar*** (to talk)

- *Trabaj**ar*** (to work)

WHAT ABOUT THE IRREGULAR VERBS?

The irregular verbs in Spanish also have patterns according to the subject, tense, and mood, but the changes affect not only the ending, but also their stems, and that differentiates them from the regular verbs. Examples of these verbs are, precisely, *ser*, *estar* and *tener*. Go back to their conjugations and you will see they do not follow the pattern above for regular verbs.

2.3 INDICATIVE MOOD
MODO INDICATIVO

We can now start talking about tenses. You know the verbs are actions executed by the subject, but they can also express the process or state of something. They usually go together with other complements that explain or give more information.

The indicative mood is used to talk about states, events, and real actions. Moods are large groups that indicate the **attitude of the speaker**. The indicative mood has present, past, conditional, and future tenses. We will take care of the present here, but you can see below the complete list of verb tenses included in the indicative mood:

INDICATIVE MOOD
Presente (present simple)
Gerundio (present continuous)
Pretérito perfecto (past simple)
Pretérito imperfecto (past continuous)
Pretérito pluscuamperfecto (past perfect)
Pretérito anterior (past perfect)
Futuro simple (future simple)
Futuro compuesto (future perfect)
Condicional simple (conditional simple)
Condicional compuesto (conditional perfect)

That was easy, right? Well, you are now ready to conjugate some regular verbs on your own!

EJERCICIOS II
EXERCISES II

1) Read the following text about María's everyday life.

La Vida Cotidiana de María

María trabaja de lunes a viernes. Ella se levanta a las 7 a. m., se viste, se asea y desayuna junto a sus padres. El desayuno consiste en un café enorme, unas tostadas y jugo de naranja exprimido. A las 8 toma el autobús para ir a la escuela, donde es maestra de nivel secundario. Tiene muchos alumnos y buenos compañeros de trabajo. Como todos los maestros, María siente un afecto especial por Matías, uno de sus alumnos. Matías es estudioso y responsable, pero tiene muchos problemas familiares. Es por eso que le presta especial atención a él.

María tiene el almuerzo en la escuela. Generalmente, come un sándwich de jamón y queso, y un vaso de yogur. Conversa con sus compañeros de la escuela y escucha un poco de música para distraerse.

Luego, corrige tareas, prepara el material para las clases y vuelve al aula. Sus alumnos la quieren mucho.

Termina de trabajar a las 4 p. m. Toma el autobús de regreso y va a su clase de baile. A María le encantan la música de salón y la salsa. Tiene un compañero de baile que se llama Antonio y disfruta mucho bailar con él.

Cena a las 9 p. m. con sus padres y se ducha. Antes de dormir ve televisión y escucha música. Duerme siete horas.

2) Identify the verbs in the text and check their meaning in the dictionary at the end of the book. Write the ones that correspond to the group ending in -AR.

_____

_____

_____

_____

3) Complete the sentences using one word from the text.

a) María se levanta a las _____

b) Todas las mañanas toma un enorme _____

c) María almuerza en la _____

d) Al mediodía, María escucha _____

e) Sus alumnos la _____

f) Termina de trabajar a las _____

g) Después del trabajo, María toma clase de _____

h) María baila con _____

i) Cena a las _____

j) Antes de dormir, María ve _____

4) Conjugate the following verbs in the Present Tense.

	INDICAR	REALIZAR	COMENZAR	CASTIGAR
Yo				
Tú				
Vos				
Usted				
Él/Ella				
Nosotros/-as				
Vosotros/-as				
Ustedes				
Ellos/Ellas				

	MARCAR	CAMBIAR	ENCONTRAR	ATRAPAR
Yo				
Tú				
Vos				
Usted				
Él/Ella				
Nosotros/-as				
Vosotros/-as				
Ustedes				
Ellos/Ellas				

2.4 INTERROGATIVE PRONOUNS
PRONOMBRES INTERROGATIVOS

Now, let's talk about questions. How do you ask questions in Spanish? First of all, you need to know there are wh-words, called interrogative pronouns, which help us ask in many situations. They substitute a noun when we ask, and this means we don't need a noun in the question — the interrogative pronoun is the only word needed.

Also, the interrogative pronouns always have an accent mark (*tilde*) when they are part of the questions.

Below you will find the different interrogative pronouns to make questions, and also examples of how they change their meaning when used with a preposition. If you pay attention to the title of this unit — *¿de dónde eres?* — you will understand what we are saying. The word *dónde* (where) is combined with *de* (from); therefore, it is not the same to say *dónde* (where) than *de dónde* (where from). The interrogative pronouns in Spanish are:

- **Qué (What)**

  Qué is used to ask for general information about one or more subjects or objects, such as their identity, class, or location, among other things. However, it's important to note that it is not used to inquire about someone's name. And, as with other pronouns, *qué* can be combined with prepositions to change the meaning of the sentence.

  - **qué** (what)

    E.g.   *¿**Qué** tipo de pescado es este?* (**What** kind of fish is this?)
    *¿**Qué** te gusta leer?* (**What** do you like to read?)
    *¿**Qué** tan lejos está la casa?* (**How** far is the house?)

  - **a qué** (what to)

    E.g.   *¿**A qué** hora vienes?* (**At what** time are you coming?)
    *¿**A qué** te refieres?* (**What** are you referring **to**?)
    *¿**A qué** clase vas?* (**What** class are you going **to**?)

  - **con qué** (with what): used when you want to ask with what something is done.

    E.g.   *¿**Con qué** pintas?* (**What** do you paint **with**?)
    *¿**Con qué** estás cocinando?* (**What** are you cooking **with**?)

– ***de qué*** (what about): used mainly to ask about the material something is made of or the topic someone is talking about.

> E.g. *¿**De qué** hablas?* (**What** are you talking **about**?)
>
> *¿**De qué** sabor es el helado?* (**What** flavor is the ice cream?)

– ***en qué*** (in what): usually used to talk about means of transport; to ask about what someone is thinking about; and to ask about the month, day, year.

> E.g. *¿**En qué** viene Diego? En auto.* (**How** is Diego coming? By car.)
>
> *¿**En qué** mes naciste?* (**In what** month were you born?)

· ***Cuál/Cuáles* (Which one/Which ones)**

Cuál is an interrogative pronoun with two forms, singular and plural. It is used to ask about preferences, ask for information about something, or identify one or more subjects in a given set. *Cuál* is used for singular and *cuáles* for plural.

> E.g. *¿**Cuál** quieres?* (**Which one** do you want?)
>
> *¿**Cuáles** te gustan?* (**Which ones** do you like?)
>
> *¿**Cuál** es el mejor equipo de fútbol del mundo?*
> (**Which** is the best soccer team in the world?)
>
> *¿**Cuál** es el hotel más cercano al aeropuerto?*
> (**What** is the closest hotel to the airport?)
>
> *¿**Cuáles** son los colores de la bandera?*
> (**What** are the colors of the flag?)

As you can see, in Spanish sometimes *cuál* or *cuáles* can be equivalent to "what" instead of "which" when asking questions.

You can also use it with prepositions.

– ***a cuál/cuáles*** (to which): it is normally used to ask someone about their opinion, knowledge or preferences on a subject.

> E.g. *¿**A cuál** café quieres ir?* (**Which** cafe do you want to go to?)
>
> *¿**A cuáles** te refieres?* (**Which ones** do you mean?)

– *con cuál/cuáles* (with which): to talk about one or several people, animal or objects.

> E.g.   *¿Con cuál trabajas?*
> (**Which** one do you work **with**?)
>
> *¿Con cuáles valores te identificas?*
> (**What** values do you identify **with**?)

· *Quién/Quiénes* (Who)

This interrogative pronoun is one of the easiest ones. It refers to people. And it also has its singular form, *quién*, and its plural, *quiénes*. But, don't worry, you won't need to memorize genders here!

> E.g.   *¿Quién eres?* (**Who** are you?)
> *¿Quiénes vienen a la fiesta?* (**Who** is coming to the party?)

Variations with prepositions:

 – *a quién/quiénes* (who/to whom): many verbs require the preposition *a* to specify the subject of the conversation.

> E.g.   *¿A quién eliges como compañero?*
> (**Who** do you choose as a partner?)
>
> *¿A quién le envías la carta?*
> (**To whom** do you send the letter?)

 – *con quién/quiénes* (with whom): another common combination. Used when asking about the relationship between two or more people or their preferences.

> E.g.   *¿Con quién vives?* (**Who** do you live **with**?)
> *¿Con quiénes te gusta estudiar?* (**Who** do you like to study **with**?)

 – *de quién/quiénes* (whose/from whom): used when you want to ask to whom something belongs to or identify who you are talking about.

> E.g.   *¿De quién es esto?*
> (**Whose** is this?)
>
> *¿De quiénes estás recibiendo estos documentos?*
> (**From whom** are you receiving these documents?)

2.5 INTERROGATIVE ADVERBS
ADVERBIOS INTERROGATIVOS

- *Cuánto/Cuántos* (How much/How many)

These are not pronouns, but adverbs that have singular and plural, and also feminine and masculine forms.

Cuánto is masculine and singular, while *cuánta* is feminine and singular. These two words refer to quantity, especially for uncountable nouns.

Cuántos is masculine and plural, and *cuántas* is feminine and plural. They are used to ask about countable nouns.

E.g.   ¿*Cuánto* cuesta esto? (**How much** is this?)

¿*Cuánta* agua quieres? (**How much** water do you want?)

¿*Cuántos* perros tienes? (**How many** dogs do you have?)

¿*Cuántas* niñas hay? (**How many** girls are there?)

They are sometimes used with prepositions as well.

- **con cuánto/cuántos** (with how much/with how many)

  E.g. ¿**Con cuántos** amigos vas?
  (**How many** friends are you going **with**?)
  ¿**Con cuánto** dinero en efectivo planeas viajar?
  (**How much** cash do you plan to travel **with**?)

· **Cómo (How)**

This adverb doesn't vary, and we can translate it as how. You can use it to ask about the way something is done or to ask about how someone is.

  E.g. ¿**Cómo** estás hoy? (**How** are you today?)
  ¿**Cómo** es tu casa? (**How** is your house?)

But there is an exception. When we ask someone's name in Spanish, we use *cómo* (how) or *cuál* (which), instead of *qué* (what).

  E.g. ¿**Cómo** te llamas? (literally, **How** are you called?)
  ¿**Cuál** es tu nombre? (**What** is your name?)

Cómo can also be used with the preposition a preceding it, but just in one case, which is when we want to ask the price of an item.

  E.g. ¿**A cómo** están las cebollas? (literally, **How** are the onions?)

· **Por qué (Why)**

Por qué is used to ask the cause or reason for something. A particularity about this adverb is that when we answer the question, we must use it together and without *tilde*.

  E.g. ¿**Por qué** lloras? **Porque** estoy triste. (**Why** are you crying? **Because** I am sad.)

Therefore, as you may have noticed, *porque* is the translation of because. Nevertheless, when you use the phrase "because of this," it cannot be translated using *"porque,"* but rather *"debido a esto"* or *"por esto."*

More examples:

  ¿**Por qué** vienes aquí? (**Why** do you come here?)

- **Dónde** (Where)

This adverb is used when we want to talk about a specific place.

> E.g.   ¿*Dónde* *vives*? (**Where** do you live?)

Dónde can be modified by prepositions, too. The most common ones are:

- **adónde** or **a dónde** (where to): when the preposition *a* is combined with *dónde*, it means we are asking where someone is going. In this case, when we refer to a direction, *donde* and *adonde* are equivalent.

> E.g.   ¿*Adónde* *vas*? / ¿*Dónde* *vas*?
> (**Where** are you going?)

- **de dónde** (where from): used to ask where someone is from (the title of this unit!) or where someone is coming from.

> E.g.   ¿*De dónde* *eres*?
> (**Where** are you **from**?)
> ¿*De dónde* *vienes*?
> (**Where** do you come **from**?)

- **Cuándo** (When)

Cuándo is another example of an invariable word, like the other adverbs, but it indicates at what time or moment something happened, happens or will happen.

> E.g.   ¿*Cuándo* *es primavera*? (**When** is spring?)
> ¿*Cuándo* *salimos*? (**When** do we go out?)
> ¿*Cuándo* *empieza la película*? (**When** does the film start?)

There are two prepositions often used with *cuándo*:

- **desde cuándo** (since when): when you want to ask about the origin of an action.

> E.g.   ¿*Desde cuándo* *vives aquí*? (**How long** have you been living here?)

- **hasta cuándo** (until when): to ask about the end of an action.

> E.g.   ¿*Hasta cuándo* *están abiertas las inscripciones*?
> (**How long** is the registration open?)

2.6 TYPES OF QUESTIONS
TIPOS DE PREGUNTAS

- **Closed** - In these cases, the answers to the questions are always *sí* (yes) or *no* (no). Closed questions are formed like this: **subject + verb + object**; and they also have two forms:

  - **Yes/No questions**: when there are two possibilities to answer them, *sí* or *no*.

    E.g.   *¿Tienes lápices de colores? **Sí** tengo.*
    (Do you have colour pencils? **Yes**, I do.)

  - **Questions with two (or more) options**: when the speaker gives options, usually when talking about preferences.

    E.g.   *¿Quieres **cerveza** o **vino**? Vino.*
    (Do you want **beer** or **wine**? Wine.)

- **Open-ended:** They are formed using the following structure, **question word + verb + subject**.

    E.g.   *¿Adónde vas tú?*
    (Where are you going?)

            ¿Quién es ella?
    (Who is she?)

- **Direct** - They are asked directly to the audience.

    E.g.   *¿Tienes pastel de chocolate?*
    (Do you have chocolate cake?)

- **Indirect** – These are not direct questions, and don't have a question mark.

    E.g.   *Quisiera saber por qué no me llamas.*
    (I would like to know why you don't call me.)

Well, this part was a bit long... We understand... Sorry for that! But we are sure it will be really helpful because it gave you a wide idea of how things go with the Spanish language. And you learned so much vocabulary!

EJERCICIOS III
EXERCISES III

1) Read the following text and write questions using the WH- words as a guide. Although it may seem a difficult text, you will be surprised at your comprehension!

> ### The Estefan Family
>
> Gloria y Emilio Estefan han encontrado el secreto del éxito. La pareja celebrará su aniversario de bodas número 40. Han estado juntos durante 43 años.
>
> La gira nacional del exitoso disco de la pareja *En tus pies* cuenta la historia de su ascenso a la fama y los éxitos de la fusión del pop cubano que los convirtieron en superestrellas. Y ahora llegaron a Hollywood para celebrar su estreno en el Pantages Theatre de Los Ángeles.
>
> — ¿Cuál es su secreto?— les preguntamos. — Respeto y amor, y, más que nada, siendo latino dices "Sí, cariño, lo que quieras"—, bromeó Emilio.
>
> — Esa es una tontería, ¿sabes qué?— respondió Gloria, —me hace reír todos los días de mi vida, ese es nuestro secreto.
>
> *En tus pies* presenta más de 20 de las canciones más populares de los Estefan.
>
> Aunque a Gloria le preocupaba que el matrimonio afectara su carrera, no pudo resistirse a Emilio cuando se conocieron. Gloria dice: — Fue mi primer y único amor. No estaba buscando casarme, simplemente nos enamoramos. No queríamos estropear la parte profesional, pero fue inevitable.
>
> Y Gloria cree que sus diferencias son la clave del matrimonio feliz, al decir — Somos muy diferentes, así que nos complementamos. Pero en las cosas que realmente importan, como en las prioridades, que siempre son nuestra familia, nuestros valores, nuestra moral. Estamos en la misma onda.
>
> En 1989 ella sufrió un accidente devastador que la dejó con la espalda destrozada, después de que un camión de 18 ruedas golpeara su autobús durante una tormenta de nieve. Gloria cree que los tiempos difíciles después del accidente los unieron más como familia. — Hemos crecido juntos, especialmente desde mi accidente. Esas cosas pueden separarte, pero eso nos unió— dijo emocionada.

Hablando de su edad, dijo — El número no es divertido, y cualquiera que te diga lo contrario está mintiendo. Tengo mucha energía, y, pase lo que pase, queda menos vida de la que has vivido, por lo que es importante disfrutar cada momento y hacer lo que te haga feliz.

Una infancia difícil

— Dejé Cuba rumbo a Miami cuando tenía dos años. Recuerdo que mi mamá me arrastraba a los grupos de oración porque mi papá era un preso político en Cuba después de pelear contra Castro en Bahía de Cochinos. Cuando mi papá estuvo en la cárcel en Cuba fue muy estresante para mi mamá. Estaba muy nerviosa, lloraba mucho y trataba de no dejarme verlo, pero yo era muy consciente. Al principio me decía que mi papá estaba trabajando en una granja, pero yo sabía que estaba en la cárcel. Mi mamá era muy estricta, pero mi abuela me echó a perder, con amor, no comprando cosas.

Después de Bahía de Cochinos, papá se unió al ejército de los Estados Unidos, nos mudamos a Texas y él fue a Vietnam. En Vietnam compró dos grabadoras porque mi hermana pequeña tenía tres años y él no quería que se olvidara de su voz. Grababa cintas para nosotros y yo cantaba para él, y le contaba cómo había estado nuestro día. Estaba muy presente. Cuando papá regresó de Vietnam estaba muy enfermo. Tenía esclerosis múltiple y yo lo cuidé. Comenzó a perder su capacidad para hablar y para tomar decisiones, olvidaba que no podía caminar y se ponía de pie. Fue algo difícil de manejar, pero me hizo más fuerte y la música fue mi escape.

Yo tocaba música para mi papá, me encerraba en mi habitación y simplemente me emocionaba mientras cantaba. Solo cantaba y cantaba, porque quería ser fuerte por mi madre. No quería que ella se sintiera peor por la situación.

Hoy mi madre tiene 84 años y está sana. Tiene un doctorado en educación, para ella era muy importante que fuéramos a buenas escuelas.

Nunca tuvieron que decirme lo que estaba bien o mal, lo sabía. Yo era muy madura y buena, por lo que nunca tuvieron problemas conmigo.

Cuando mi papá murió, mi madre nunca miró a otro hombre. Tenía 27 años cuando se casó con él, y eso ya se consideraba ser una solterona. Pero tenía una vida maravillosa: estudiaba y no quería establecerse, estaba locamente enamorada de mi padre y lo seguía adonde él iba. Tenían una relación maravillosa.

Ser madre y profesional

Yo tenía muchas ganas de ser madre. Soy una persona muy maternal. Pero en el momento en que conocí a Emilio me estaba enfocando en una carrera. Nunca hubiera pensado que me casaría a los 21, y mucho menos que sería mamá a los 23. Pero una vez que me casé y estaba muy segura de que quería estar con él por el resto de mi vida, quisimos formar una familia de inmediato. La carrera estaba despegando y sabía que las cosas se podían complicar más adelante; pospones las cosas y de alguna manera puedes terminar sin una familia. Entonces, para nosotros, la prioridad siempre fue nuestra familia. Mi hijo nació en nuestro segundo aniversario de bodas y fue todo un regalo.

a) ¿Cuáles _____ ?

Nuestros nombres son Gloria y Emilio Estefan.

b) ¿Quién _____ ?

Emilio es mi único amor.

c) ¿Son_____ o _____ ?

Somos muy diferentes, nos complementamos.

d) ¿Cuáles_____ ?

Las prioridades siempre son nuestra familia, nuestros valores y nuestra moral.

e) ¿De_____ ?

Cuba.

f) ¿Cómo_____ ?

Mi mamá era muy estricta.

g) ¿Cuántos_____ ?

Mi madre tiene 84 años.

2) Read the card about Frida Kahlo and write the questions you would ask her based on the information.

Cumpleaños:	6 de julio, 1907
Murió a la edad:	47
Signo del zodíaco:	Cáncer
También conocida como:	Magdalena Carmen Frida Kahlo
País de origen:	México
Nacida en:	Coyoacán, Ciudad de México
Ocupación:	Pintora
Cónyuge:	Diego Rivera (M. 1929; Div. 1939, M. 1940)
Padre:	Carl Wilhelm Kahlo
Mamá:	Matilde Calderón
Hermanos:	María Kahlo Cardeña, María Luisa Kahlo Cardeña, Margarita Kahlo Cardeña, Matilde Kahlo Calderón, Adriana Kahlo Calderón, Wilhelm Kahlo Calderón y Cristina Kahlo

_____

_____

_____

_____

_____

_____

_____

2.7 NEGATION
NEGACIÓN

In Spanish, we use the word *no* before the verb to make a sentence negative. But there are also other words that indicate negation. For example, *nadie* (nobody), *nunca* (never) and *nada* (nothing). And there may also be a double negative, something very common in Spanish. Basically, in the double negative expressions, the negative words deny what the verb expresses.

In this section you will find an explanation of how to use negative sentences.

Let's start with the negative sentences structure: **subject + no + verb**

> E.g. *Él **no** come.*
> (He **doesn't** eat.)

If the sentence includes a direct and indirect object, the indirect object must come before the direct object: **subject + no + indirect object pronoun + direct object pronoun + predicate**

> E.g. *María **no** le dice a **nadie** que le gusta Franco.*
> (María **doesn't** say to **anyone** she likes Franco.)

Also, the use of more than one of the following words together is frequent: *no, nadie, nunca, tampoco.*

E.g.   ***Nunca nadie*** *dice la verdad.* (**Nobody ever** says the truth.)

When an answer is given to a yes or no question (interrogative sentence), the adverb *no* appears twice consecutively: as an answer to the question and as part of the negative sentence that reiterates the answer at length.

E.g.   *¿Estudias?* ***No, no*** *estudio.* (Do you study? No, I don't study.)

You can also use the adverb *no* at the end of an enunciative sentence after a comma and between interrogatives to transform it into an indirect question, where you want to corroborate that you think you know the answer, just as the tag questions in English.

E.g.   *Ella es tu hermana, ¿**no**?* (She is your sister, isn't she?)

2.8 THE DOUBLE NEGATION
LA DOBLE NEGACIÓN

In Spanish, there are other words besides the adverb *no* that serve to negate elements of the sentence: *nadie, nada, nunca,* and others that you will learn below. When these words appear after the verb, the adverb *no* is still necessary. For this reason, it is considered that in these cases negation is double, but this does not nullify the negative sense of the statement in Spanish, but rather emphasizes it.

- *no ... nadie* (no ... nobody, no one, anyone)

    E.g.   ***No*** *veo a* ***nadie*** *allí.* (I **don't** see **anyone** there.)

- *no ... nada* (no ... nothing, anything)

    E.g.   ***No*** *hay* ***nada*** *en la caja.* (There's **nothing** in the box.)

- *no ... nunca* (no ... never)

    E.g.   *Mi madre* ***no*** *cocina* ***nunca*** *a mediodía.* (My mother **never** cooks at noon.)

- *no ... tampoco* (no ... either)

    E.g.   *Ella* ***no*** *quiere ir* ***tampoco****.* (She **doesn't** want to go either.)

- *no ... ninguno*

    E.g.   **No** *hablo con* **ninguno** *de mis amigos desde ayer.*
            (I **haven't** talked to any of my friends since yesterday.)

- *no ... ni ... ni* (neither ... nor)

    E.g.   *Hoy* **no** *tengo* **ni** *frío* **ni** *calor.* (Today I am **neither** hot **nor** cold)

2.9 NEGATIVE EXPRESSIONS
EXPRESIONES NEGATIVAS

Some words have a negative equivalent, and when an affirmative sentence with one of these words becomes negative, you must use its corresponding negative. Although, you don't have to use *no* if the word precedes the verb.

- *Alguien* (somebody, someone) - *nadie* (nobody, no one, anyone, anybody)

    E.g.   **Alguien** *viene a la fiesta.* – **Nadie** *viene a la fiesta.*

- *Algún, alguno, alguna* (some) - *ningún, ninguna, ninguno* (any)

    Algún *niño está gritando.* – **Ningún** *niño está gritando.*

- *Algo* (something) - *nada* (nothing, anything)

    Algo *ocurre en el parque.* – **Nada** *ocurre en el parque.*

- *Siempre* (always) - *nunca, jamás* (never)

    Siempre *estudia en silencio.* – **Nunca** *estudia en silencio.*

- *También* (also, too) - *tampoco* (either, neither)

    Ella **también** *baila bien.* – *Ella* **tampoco** *baila bien.*

- *Todo* (everything) - *nada* (anything, nothing)

    Todo *está limpio.* – **Nada** *está limpio.*

- *Todos* (everybody, everyone) - *nadie* (nobody, no one, anyone, anybody)

    Todos *disfrutan de la fiesta.* – **Nadie** *disfruta de la fiesta.*

Ready for the final exercises of Unit 2?

EJERCICIOS IV
EXERCISES IV

1) Read the history of these famous people until they were famous and write two negative sentences for each.

E.g.   *Shakira no es española.* (Shakira isn't Spanish.)

Celebridades antes de ser celebridades

Las celebridades no siempre brillaron ni caminaron por alfombras rojas. Antes de ser estrellas, muchas trabajaron de otras cosas, lucharon para llegar a fin de mes y se ensuciaron las manos. Sin embargo, algunos famosos aprovecharon las oportunidades del destino.

Shakira, la cantante colombiana, antes de ser una superestrella internacional, estaba insatisfecha con la industria de la música y regresó a casa para interpretar papeles en telenovelas de su país. Participó en *El Oasis*, donde era una chica rica destinada a un romance desafortunado. Pero, según dijo ella misma, aunque se divirtió mucho haciéndolo, era una muy mala actriz.

Penélope Cruz, de nacionalidad española, previo a ser la gran actriz que es, participó en un video del grupo Mecano, donde ya se veía su aptitud para la actuación.

Ricky Martin trabajó haciendo comerciales desde muy pequeño, formó parte de la famosa banda Menudo y empezó su carrera de cantante solista al terminar la secundaria. Pero, además de lograr ser uno de los cantantes pop más populares en Latinoamérica, se convirtió en ícono sexual y cumplió su sueño de ser reconocido internacionalmente.

El presentador **George López**, antes de ser famoso, tuvo una infancia difícil. Cuando tenía dos meses, su padre los abandonó a él y a su madre. Más tarde, al cumplir los diez años, su madre también lo dejó; entonces, lo crió su abuela. Él transformó sus dolorosas experiencias en material para su acto de comedia. Sin embargo, antes trabajó en una fábrica de piezas de aviones. Sus primeros trabajos como comediante fueron en casinos y clubes, al mismo tiempo que se ganaba la vida como empleado.

Jennifer López, de padres puertorriqueños, trabajó en una oficina legal para financiar su carrera de baile y canto después de graduarse de la escuela secundaria.

Eva Longoria, quien también tiene ascendencia latina, aunque ella nació en los Estados Unidos, trabajó en Wendy's durante seis años y usó el dinero que tanto le costó ganar para pagar su propia quinceañera y cubrir los costos de sus animadores. Cuando tenía dieciocho años, ya era gerente.

Eva Mendes, de ascendencia cubana, comenzó su vida laboral en la industria de servicios alimenticios, un trabajo que aseguró disfrutar, pero en el que no era muy buena. Trabajó en un negocio que vendía pizzas y pasta.

Mark Consuelos, de nacionalidad española-estadounidense, pasó por la profesión de bailarín gogó. Buscaba ingresar al mundo del espectáculo y comenzó desnudándose, aunque le duró poco, ya que rápidamente logró imponerse en el negocio de la actuación.

La colombiana **Sofía Vergara** modeló en varios comerciales de televisión: haciendo ejercicio en el gimnasio, montando una bicicleta estática y participando en una clase de baile. Precisamente, fue un comercial el que la hizo famosa en toda América Latina. Aun así, en ese entonces tenía otros planes. Se casó con su novio de la escuela secundaria a los 18 años, tuvo un hijo y se matriculó en la escuela de odontología en Bogotá.

_____

_____

_____

_____

_____

_____

_____

_____

_____

_____

_____

_____

_____

_____

_____

_____

_____

2) Write the following sentences from text into negative.

a) Algunos famosos aprovecharon las oportunidades del destino.

_____

b) Regresó a casa para interpretar papeles en telenovelas de su país.

_____

c) Ricky Martin trabajó haciendo comerciales.

_____

d) Tuvo una infancia difícil.

_____

e) Su padre los abandonó.

_____

f) Tiene ascendencia latina.

_____

g) En ese entonces tenía otros planes.

_____

3) We would like to share with you the Spanish version of one of the most beautiful songs ever written: *We are the world*, which was sung by a group of famous Latin American singers. You can find the video on the internet. Complete the missing words, sing, and enjoy!

Somos el mundo

El día llegó
No hay momento que perder

Hay que **a)** _____ unir el mundo de una vez
Tantos necesitan un nuevo amanecer

Hay que **b)** _____
Tenemos el deber
No hay que esperar
Que sea el otro el que va a actuar
Cuando el dolor a tu puerta pueda tocar
Al estar unidos, no hay nada que temer
Para triunfar

c) _____ que entender

Somos amor, somos el mundo
Somos la luz que alumbra con ardor lo más oscuro
Llenos de esperanza
Podemos rescatar
La fe que nos puede salvar
Juntos tú y yo

De Corazón
Que sepan qué importantes son
Que su pesar sentimos todos también
Y que no están solos, queremos ayudar
Con compasión firmeza y hermandad

Somos amor, somos el mundo
Somos la luz que alumbra con ardor lo más oscuro
Llenos de esperanza
Podemos rescatar
La fe que nos puede salvar
Juntos tú y yo

d) _____ alguna vez te canses de luchar
Recuerda aquí estaré, a tu lado sin dudar
Te daré mi mano para juntos aprender
La manera de poder vencer

Somos amor, somos el mundo
Somos la luz que alumbra con ardor lo más oscuro
Llenos de esperanza
Podemos rescatar
La fe que nos puede salvar
Juntos tú y yo

Somos Amor
No hay **e)** _____ que temer, si estamos juntos tú y yo
Tantos necesitan un nuevo amanecer
Y solamente juntos volveremos a renacer
Estamos unidos
Lo más oscuro
Cada amanecer el sol vuelve a renacer

Eso **f)** _____ que entender

No hay que esperar, que sepan qué importantes son
Con amor y esperanza podemos rescatar
Continuaremos tú y yo, tú y yo
Latinos unidos, pero más que nada somos humanos
Cuando uno está pa' abajo, eso es cuando das la mano
Eso es un hermano
Dios bendiga a los **g)** _____

Sak pase? N'ap boule
Ya tú sabes, estamos claros
We are the world, the world
We are the children, the children
Earthquake can bring it down
We just rebuild it
Somos amor
Somos el mundo
Somos latinos
Dando cariño

Esto es un grito mundial
Que retumba en tu nación
Somos el mundo
Una raza pa'
Un solo corazón

Somos **h)** _____ unidos en una canción
Con una poderosa misión
Contigo lleva la bendición, por fe
Haití renacerá del polvo y las cenizas
Cada niño tiene el derecho de llevar una sonrisa

Dale la mano a tu **i)** _____
Sirve de consuelo
Siembra en la tierra
Y recibe el tesoro de los cielos
Come On!

Somos amor, somos el mundo
Somos la luz que alumbra con ardor lo más oscuro
Llenos de esperanza
Podemos rescatar
La fe que nos puede salvar
Juntos tú y yo

Vamos a revivir de nuevo, juntos tú y yo

La fe y la esperanza que un día se Acabó

Damos amor

Somos el mundo

Con una nueva esperanza

Somos latinos

Llenos de esperanza

Podemos **j)** _____

La fe que nos puede salvar

Juntos tú y yo

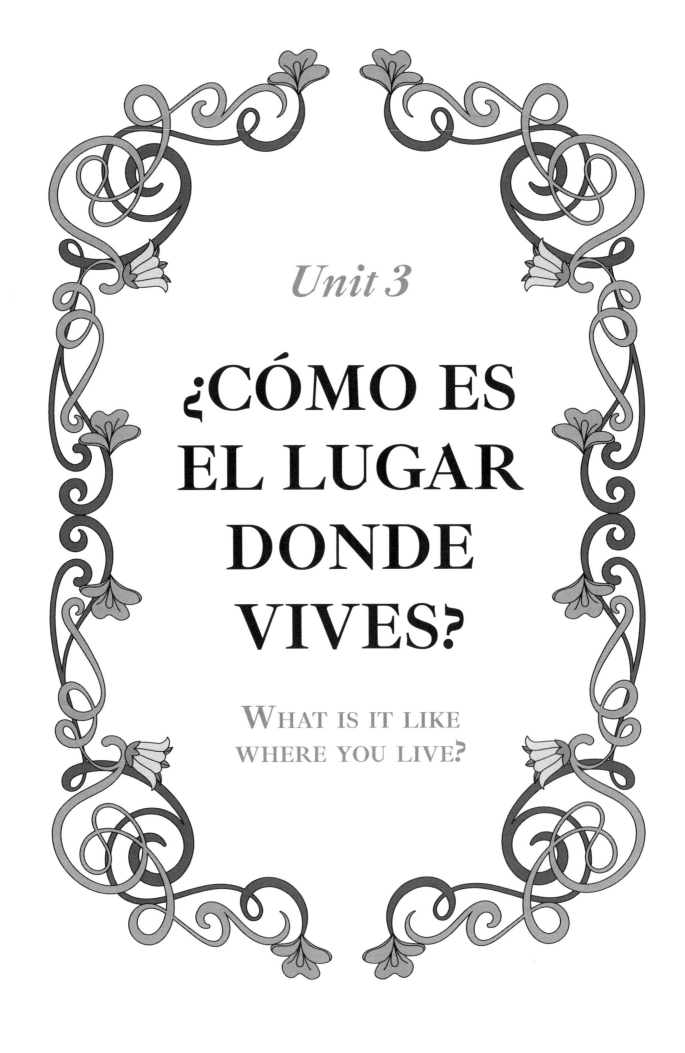

Unit 3

¿CÓMO ES EL LUGAR DONDE VIVES?

WHAT IS IT LIKE WHERE YOU LIVE?

"LAS SIETE MARAVILLAS DEL MUNDO ANTIGUO"

Which word from the last sentence do you think describes something? At this point, you know most of the words in the sentence, so let's try!

Las is an article. Can you say the gender and number of this article? Yes, it's feminine and plural.

Siete is a number. What kind of word is it? Think about it... It is answering the question word how many, it is **describing** something.

Maravillas means wonders, and it is a noun.

Del is a contraction, the combination of the words *de* and *el*.
We are sure you have heard the word *mundo*, right? It's our planet, our world. And you are right when you think it is a noun, a thing.

If you say the word *antiguo* out loud, you may guess what it is in English; it sounds similar when you translate it. Did you guess? No? Ok, never mind, we'll tell you this one: it means old.

What do we have so far?

Las (the)

Siete (seven)

Maravillas (wonders)

Del (of the)

Mundo (world)

Antiguo (old)

Here is the question again: Which word or words from the sentence do you think are describing something?

And the answer is:

Siete, because it describes the number of things it is talking about. You will learn below that this is a specific kind of adjective.

Antiguo, which describes the noun *mundo*.

By now, we already know that we use adjectives, the topic of this section, to describe other words.

In this unit, you will learn about adjectives and adverbs, prepositions, contractions, and the regular verbs ending in *-er* and *-ir*. Moreover, we will read and study the Seven Wonders of the Ancient World and will use texts to learn about them. The **wonders** are a **wonderful** topic to learn **wonderfully** about the ancient world! In Spanish: *Las **maravillas** son un **maravilloso** tema para aprender **maravillosamente** sobre el mundo antiguo*. Let's go!

3.1 WHAT ARE ADJECTIVES?
¿QUÉ SON LOS ADJETIVOS?

As we have said above, adjectives are words that describe and give details about something; most of the time, they are nouns. They are usually recognized as adjectives even when they are out of context. In the title of this unit, the word *antiguo*, for example, describes the noun *mundo*. It is saying how the world is, how old the world is. But if you have the word *antiguo* alone, you might also know it is an adjective, depending on the context.

WHAT ARE THE MAIN CHARACTERISTICS OF THE ADJECTIVES?

- They are precise.

- They modify or give attributes to the nouns.

- Gender and number must agree with the nouns.

- They usually, not always, come after the noun.

  - When are they placed **before** the noun? When they talk about the qualities of the noun and **emphasize** its characteristics. You will usually find them in poetic language, not in common expressions.

    E.g. Las **majestuosas** pirámides de Guiza. (The **majestic** pyramids of Giza.)

3.2 TYPES OF ADJECTIVES
TIPOS DE ADJETIVOS

There are different types of adjectives, and they can be categorized into:

- **Descriptive:** They express certain characteristics of the noun, explain what it's like, add information, and give details. They are **recognized as an adjective in or out of context**, adding quality to the noun, and that helps to differentiate them from the rest.

    E.g. La laguna **azul**. (The **blue** lagoon.)
          La montaña **alta**. (The **tall** mountain)

- **Comparative:** They are used to compare differences between two or more subjects.

    E.g. Él es mi hermano **mayor**. (He is my **older** brother.)
          Yo soy **mejor** cantante que mi mamá. (I am a **better** singer than my mom)

- **Superlative:** We use them when we want to describe a subject that is at the upper or lower limit of a quality. They are used in sentences where a subject is compared to a group of objects.

    E.g. Las personas **más altas** del mundo son las de Países Bajos.
          (The **tallest** people in the world are from the Netherlands.)

          Cádiz es la ciudad **más antigua** de España. (Cadiz is Spain's **oldest** city)

- **Relational:** These adjectives are a link between the noun and the context; they give the idea of belonging.

> E.g. *La ruta **provincial**.*
> (The **provincial** route.)
>
> *La oficina **pública**.*
> (The **public** office.)

- **Determiners:** These have a specific role in a sentence and are to limit and accompany the noun; although, they don't add meaning. They can be:

  - **Demonstrative adjectives**: They show proximity from the speakers. We are sure you know them very well... In English, they are **this, these, that, those**. But, as we have told you before, the adjectives in Spanish must have a concordance in number and gender. That means we have more than four! Look at the table below:

	CLOSE TO THE SPEAKER →		FAR FROM THE SPEAKER → → →	
	SINGULAR	**PLURAL**	**SINGULAR**	**PLURAL**
FEMININE	*Esta* (this)	*Estas* (these)	*Esa/aquella* (that)	*Esas/aquellas* (those)
MASCULINE	*Este* (this)	*Estos* (these)	*Ese/aquel* (that)	*Esos/aquellos* (those)

> E.g. → → → ***Esa** es la pirámide de Keops.*
> (**That** is the Cheops pyramid.)
>
> → ***Esta** es la hermosa ciudad de El Cairo.*
> (**This** is the beautiful city of Cairo.)
>
> → → → ***Ese** es el museo más grande en la ciudad.*
> (**That** is the biggest museum in the city.)
>
> → ***Este** es el museo, ¡entremos!*
> (**This** is the museum, let's get in!)
>
> → → → ***Esos** son los Jardines Colgantes de Babilonia.*
> (**Those** are the Hanging Gardens of Babylon.)

→ **Estos** son los boletos.
(**These** are the tickets.)

→ → → **Esas** montañas son increíbles.
(**Those** mountains are incredible.)

→ → → **Aquellos** templos son antiguos.
(**Those** temples are old.)

Can you see the concordance in gender and number? Can you differentiate when the speaker is close or far from the object?

- **Possessive adjectives**: These kinds of determiners show belonging. They are adjectives and must have a concordance in gender and number, but only in some cases. You can see them in the next table:

PRONOUN	SINGULAR	PLURAL
Yo	mi (my)	mis (my)
Tú	tu (your)	tus (your)
Vos	tu (your)	tus (your)
Usted	su (your)	sus (your)
Él	su (his)	sus (his)
Ella	su (her)	sus (her)
Nosotros/Nosotras	nuestro/nuestra (our)	nuestros/nuestras (our)
Vosotros/Vosotras	vuestro/vuestra (your)	vuestros/vuestras (your)
Ustedes	su (your)	sus (your)
Ellos/Ellas	su (their)	sus (their)

E.g.   *Este es **mi** bolso de viajes.* (This is **my** travel bag.)

***Nuestros** padres tienen un hotel.* (**Our** parents have a hotel.)

*¿Es este **vuestro** equipaje?* (Is this **your** luggage?)

*Ellas olvidaron **sus** pasaportes.* (They forgot **their** passports.)

–   **Exclamatory adjectives**: They are used inside an exclamative sentence.

> E.g.   *¡**Cuánto** frío hace aquí!*
> (**How** cold it is here!)

–   **Interrogative adjectives**: Obviously, they are expressed inside an interrogative sentence.

> E.g.   *¿**Cuántas** estatuas hay aquí?*
> (**How many** statues are there here?)

·   **Numeral adjectives**: These adjectives show quantity. The perfect example is in the sentence of the text at the beginning of this unit, remember?

–   **Cardinal adjectives**: They are used for counting; hence they are the numbers we all know and are very familiar with.

> E.g.   *Las **siete** maravillas del mundo.*
> (The **seven** wonders of the world.)

–   **Ordinal adjectives**: We use them when we want to talk about a specific order or rank in a series of subjects.

> E.g.   *El **primer** recorrido es en la mañana.*
> (The **first** tour is in the morning.)

You are now ready to complete the following exercises.

When you are done, return to this section and read the explanation and the examples again, if necessary. You will notice how different it sounds in your head after the practice.

EJERCICIOS I
EXERCISES I

1) Read the following text about the Giza Pyramid and answer the questions.

La Gran Pirámide de Guiza

En la época de la construcción de la pirámide, la población era de aproximadamente dos millones y medio de ciudadanos, por lo que una mano de obra así no hubiese sido algo muy alentador para la economía del país. El reto consistía en organizar la mano de obra, planificar un suministro ininterrumpido de piedras de construcción y proporcionar alojamiento, ropa y comida a las cuadrillas de trabajadores en el sitio de Guiza.

En la década de 1990, los arqueólogos descubrieron un cementerio para trabajadores y los cimientos de un asentamiento utilizado para albergar a los constructores de las dos pirámides posteriores en el sitio, lo que indica que no vivían allí más de 20 000 personas. El hecho de que se construyeran otras dos pirámides rápidamente demuestra que los primeros egipcios dominaban la construcción de pirámides y grandes estructuras. Esto se convirtió en una serie de proyectos de construcción para los expertos diseñadores, administradores y trabajadores dedicados del Viejo Reino.

---

a) ¿Qué tan grande era la población cuando se construyó la pirámide?

_____

b) ¿Qué recibían los trabajadores a cambio?

_____

c) ¿Quiénes descubrieron un cementerio?

_____

d) ¿Cuántas personas vivían allí?

_____

e) ¿Con qué velocidad se construyeron las otras pirámides?

_____

2) Read the text again and identify five adjectives. What words are modifying these adjectives?

_____

_____

_____

_____

3) Complete the sentences with these adjectives from the text.

alentadora - ininterrumpida - posteriores - dos - grandes

a) El concierto fue todo un éxito y las bandas tocaron dos días de forma _____

b) Hay _____ torres enormes en la ciudad.

c) Las clases _____ al curso enseñan otros temas.

d) No es muy _____ la situación económica.

e) Las _____ ciudades tienen mucho movimiento.

3.3 THE PREPOSITIONS
LAS PREPOSICIONES

The prepositions in Spanish are a list of words usually learned as a list by heart. But for an adult who is learning the language from the beginning, there are a few things to take into account that may help you understand their meanings. Prepositions are very important and add fluency.

WHAT DO PREPOSITIONS DO?

They introduce information about reason, place, manner, time, and more. In other words, they introduce nominal elements or noun subordinate clauses by making them dependent on some preceding word. Several of them coincide in form with prefixes.

IS THERE MORE THAN ONE TYPE OF PREPOSITION?

There are **prepositions** and **prepositional phrases**, which are several words put together (a preposition, its object, and any words that work as modifiers of the object.

The common problem with these words is that they are used differently in each language, and, therefore, they cannot be translated easily. Also, most of them have **more than one meaning and usage**. But the good news is that they are usually the obliged word in certain expressions.

> E.g. *Quiero **ir a** la cueva*. (I want **to go to** the cave.)

In this example, *ir a* is a common phrase to indicate where I want to go. Just as in English —want to go— when you have the verb *ir* (go), and you are indicating direction, the next word should be *a* (to). You are moving; it is moving in one direction.

3.4 THE MOST COMMON PREPOSITIONS AND THEIR USES
LAS PREPOSICIONES MÁS COMUNES Y SUS USOS

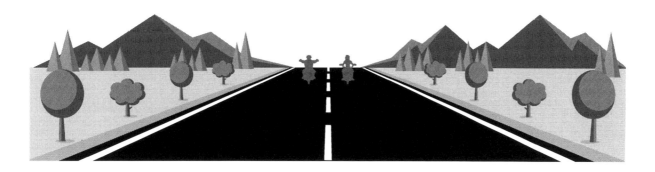

Here are the most frequently used prepositions, but don't forget to check your dictionary and learn them as quickly as possible! They will help you a lot to speak Spanish fluently!

- *A* (to/in)

When it is used:

- To say where we are going to or what is going to happen.

  E.g.   *Ella va **a** la clase de arte.* (She goes **to** the art class.)
          *Si sigues saltando, te vas **a** caer.* (If you keep jumping, you're going **to** fall.)

- To talk about at what time something happened or will happen.

  E.g.   *La presentación es **a** las 3 p.m.* (The presentation is **at** 3 p.m.)
          *El barco no ha llegado **a** puerto.* (The ship has not arrived **in** port.)

- Who we sent, gave, told… something.

  E.g.   *El guía turístico les habló **a** los turistas.*
          (The tourist guide talked **to** the tourists.)

- To introduce infinitives.

  E.g.   *Vamos **a** viajar.* (We are going **to** travel.)

- To indicate someone or something's situation.

  E.g.   *Está **a** la izquierda de la profesora.* (It's **to** the left of the teacher.)

- *De* (of/by/from)

When it is used:

- To express where we come from or who something belongs to.

  E.g.   *Nosotros somos **de** Colombia.* (We are **from** Colombia.)
          *Este lápiz es **de** ella.* (This pencil is **hers**.)

- To talk about the cause or origin of something.

  E.g.   *Él murió **de** fiebre amarilla.* (He died **of** yellow fever.)

- To say who created a work.

  E.g.　　*Romeo y Julieta,* **de** *William Shakespeare.*
  (Romeo and Juliet, **by** William Shakespeare.)

- To express what something is made of or what it contains.

  E.g.　　*Las pirámides están hechas* **de** *piedra.*
  (The pyramids are made **of** stone.)

· **Con (with)**

When it is used:

- As accompaniment.

  E.g.　　*Los alumnos van* **con** *el profesor.*
  (The students go **with** the professor/The students are going with the professor.)

- To talk about the circumstances under which something happens or to express the means or mode used to do something.

  E.g.　　*Ellos se miran* **con** *amor.*
  (They look at each other **with** love)

- Combined with other prepositional pronouns.

  E.g.　　*Ella viene* **conmigo.**
  (She comes **with me**/She is coming with me.)

· **Por** *and* **para** *(for/to/because of)*

When to use *por:*

- To talk about the cause of something.

  E.g.　　*Corrimos* **por** *la tormenta.*
  (We ran **because of** the storm.)

- To talk about what you exchanged.

  E.g.　　*Cambiemos las monedas* **por** *los billetes.*
  (Let's exchange the coins **for** the bills.)

– To express who you do things for.

E.g.   *Escribo un libro **por** él.* (I write a book **for** him—on his behalf.)

– To say the means or way of doing something.

E.g.   *Limpia tu cuarto **por** las buenas.* (Clean your room the easy way)

– To talk about a period of time.

E.g.   *Las torres han estado allí **por** siglos.* (The towers have been there **for** centuries.)

When to use *para*:

– When you talk about intention or purpose.

E.g.   *Ella viene **para** conocer el lugar.* (She comes **to** know the place.)

– To talk about a certain period of time in the future.

E.g.   *Tendremos nieve **para** julio.* (We'll have snow **by** July.)

– To talk about the direction, you are going.

E.g.   *Estoy caminando **para** las montañas.* (I am walking **to** the hills.)

– To express the reason or cause of something.

E.g.   *¿**Para** qué trabajas tan duro?* (Why do you work so hard?)

– To express an opinion.

E.g.   ***Para** el mundo, eso es un misterio.* (**For** the world, that is a mystery.)

· *Sin* (without)

When it is used:

– To talk about what is missing or what is lacking.

E.g.   *Nos estamos quedando **sin** leña.* (We are running **out of** firewood.)

- Before an infinitive verb, it is equivalent to *no* with its participle or gerund.

    E.g.   *Me voy **sin** desayunar.*
    (I'm leaving **without** having breakfast)

- ***En* (in)**

When it is used:

- To talk about where something or someone is.

    E.g.   *¿La audiencia está **en** la sala?* (Is the audience **in** the room?)

- To express what someone is good at or excels at.

    E.g.   *Laura trabaja **en** microbiología.* (Laura works **in** microbiology.)

- To talk about the time or manner in which something is done.

    E.g.   *El museo abre **en** dos horas.* (The museum opens **in** two hours.)

As you may have learned, there are prepositions of time, place, cause, and purpose, among others. These are just some of the most used prepositions. And you can study all of them in the dictionary! Meanwhile, try to put them into practice as much as possible!

3.5 THE CONTRACTIONS
LAS CONTRACCIONES

There are two cases where two words are put together to become one word. The English speakers know this usage of the language very well... The words involved are the prepositions *a* (to) and *de* (of) when they are combined with the article *el* (the—singular and masculine).

- ***A* + *EL***: The word *a* is combined with the article *el*—the masculine and singular form.

    E.g.   *Los pasajeros llegan **al** hotel.* (The passengers arrive **at the** hotel.)

- ***DE* + *EL***: The word *de* is combined with the article *el*—the masculine and singular form.

    E.g.   *El itinerario **del** viaje es largo.* (The itinerary **of the** trip is long.)

WHEN ARE THESE CONTRACTIONS USED?

- To express where we come from or whose it is.

- To talk about where we are going or to whom we are delivering something.

- To say who created a work.

- To express what something is made of.

- To talk about a past event or a memory.

- To say the sports team of which you are a fan or which one you support.

It's time to practice this easy, very easy topic!

EJERCICIOS II
EXERCISES II

1) Answer the questions about the Hanging Gardens of Babylon.

Jardines Colgantes de Babilonia

Los Jardines Colgantes de Babilonia son una de las Siete Maravillas del Mundo Antiguo, y se llamaban así porque, supuestamente, estaban construidos a gran altura sobre terrazas de piedra de dos niveles. Algunos historiadores y arqueólogos creen que los jardines fueron destruidos por la erosión y las guerras, mientras que otros creen que un terremoto los destruyó. Además, dicen que el rey Nabucodonosor II construyó los lujosos jardines en el siglo VI a.C. para regalárselos a su esposa Amytis. Ella añoraba la hermosa vegetación y las montañas de su ciudad natal en Irán.

---

a) ¿Qué son los Jardines Colgantes de Babilonia?

_____

b) ¿De qué estaban hechas las terrazas?

_____

c) ¿Quiénes creen que fueron destruidos por la erosión y la guerra?

_____

d) ¿Cómo se llamaba el rey que los hizo construir?

_____

e) ¿Quién era Amytis?

_____

2) How many prepositions can you see in the text? Write them down.

_____

_____

3) Answer the questions about the Temple of Artemis.

> ### Templo de Artemisa (Éfeso)
>
> Artemisa era la supuesta diosa de la fertilidad. Probablemente, era la deidad más venerada en Asia y quizás en el mundo en la época de Pablo. Cientos de sacerdotes eunucos, sacerdotisas vírgenes y prostitutas religiosas le servían. Los rituales de culto eran bastante eróticos. También se le conocía como "Reina del Cielo", "Salvadora" y "Diosa Madre". Éfeso era considerada *neokoros* de Artemisa; la ciudad era el centro del culto a Artemisa y la responsable de mantener la pureza del culto. El culto aportó una gran riqueza a los ciudadanos de Éfeso, ya que el templo de Artemisa se convirtió en el mayor banco del mundo durante esa época. Los devotos venían de todo el mundo para venerar y celebrar sus fiestas, y enormes procesiones honraban sus estatuas. Las celebraciones se llevaban a cabo con música, bailes, cantos, representaciones teatrales y cánticos de lealtad. Representaban a Artemisa con muchos pechos, un símbolo de su fertilidad. La estatua principal de su templo podía ser un meteorito negro, porque se decía que había caído del cielo. Se han encontrado dos estatuas de ella en el Prytaneion, lo que indica que se le consideraba la base de la vida en la ciudad.

a) ¿Quién era Artemisa?

_____

b) ¿En qué continente estaba?

_____

c) ¿Qué otros nombres tenía?

_____

d) ¿En qué se convirtió el templo de Artemisa?

_____

e) ¿Cómo celebraban las fiestas?

_____

4) Find all contractions in the above text.

_____

_____

_____

3.6 THE ADVERBS

LOS ADVERBIOS

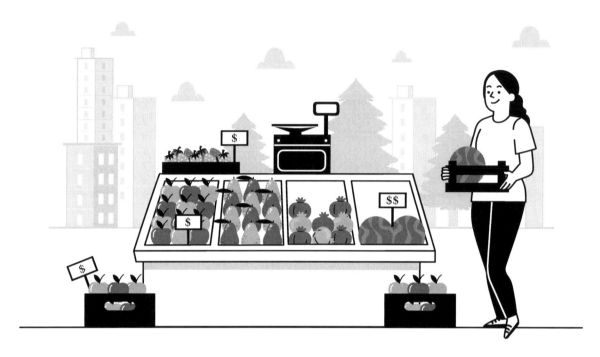

Adverbs are words that describe mainly the verbs, but they can also describe the adjectives or even another adverb. Luckily for you, these words don't have to agree in number and gender.

Adverbs talk about how, when, how much, or where an action is performed. It is common to find the adverbs after the verbs they are modifying:

    E.g.   *El hombre <u>corre</u> **rápidamente**.* (The man <u>runs</u> **quickly**.)

You can find them also before the adjectives or other adverbs:

    E.g.   *El hombre está **felizmente** <u>casado</u>.* (The man is **happily** married.)

And it is common to use them at the beginning of a sentence:

    E.g.   ***Afortunadamente**, todo está saliendo bien.* (**Luckily**, everything is going well.)

These kinds of words are also used to compare, just like the adjectives, and we must assume it is sometimes hard to differentiate the adjectives from the adverbs. But this is not your fault! It happens because both words, adjectives, and adverbs, are written the same way; they are identical. So, how to know which one to use?

Adverbs are, in general, modifying verbs and actions, while adjectives only modify nouns.

> E.g. *El avión <u>vuela</u> **alto**.* (The plane flies **high**.)
> *El <u>vuelo</u> del avión es **alto**.* (The flight of the plane is **high**.)

In the example above, we highlighted the adverb and underlined the word that it is modifying. As you can see, in the first example, *alto* is modifying the verb *vuela*, while in the second example, it is modifying the noun *vuelo*. Therefore, *alto* is an adverb only in the first case.

This is clearer when the adverbs end in *-mente*, which is the **-ly** form in English. Many of the adverbs have this ending in Spanish, and that may make it easier to recognize them.

> E.g. *El chico habla **incansable<u>mente</u>**.* (The boy talks **tirelessly**.)

Note that the adverbs that end in *-mente* are formed using the feminine form of their root except when they are genderless adverbs, such as *ferozmente* (fiercely) or *urgentemente* (urgently).

> E.g. *Los niños terminan su tarea **rápido**.* (The children finish their homework **quickly**.)
> *Los niños terminan su tarea **rápida<u>mente</u>**.* (The children finish their homework **quickly**.)

Another thing you should know is that when a sentence has more than one adverb of this last kind, you only add *-mente* to last one to avoid redundancy in the use of the *-mente* suffix.

> E.g. *Ella lo mira a él **silenciosa** y **apasionada<u>mente</u>**.*
> (She looks at him **quietly** and **passionately**.)

3.7 TYPES OF ADVERBS
TIPOS DE ADVERBIOS

In Spanish, there are adverbs to indicate place, time, degree, quantity, doubt, and affirmation and negation. Also, there are comparatives and superlatives!

In order to identify the type of adverb, you need to ask yourself a question.

If it is talking about time, the question will be **when, what time, at what time**.
If it refers to location, the question will be **where**.
If it refers to degree or quantity, the question will be **how much**.
If it is talking about manner, the question will be **how**.

These are the most commonly used adverbs:

- ### *Temporal* (time)

    E.g.   *El cartero viene **mañana**.* (The postman comes **tomorrow**.)
    *La panadería no abre **los lunes**.* (The bakery doesn't open **on Mondays**.)

- ### *Cantidad/Grado* (amount/degree)

    E.g.   *Tengo **mucha** sed.* (I am **very** thirsty.)
    *Ella gana **bastante** dinero.* (She earns **a lot of** money.)

- ### *Modo* (manner)

    E.g.   *María sonrió **tímidamente**.* (María smiled **timidly**.)
    *Franco entró **silenciosamente**.* (Franco came in **quietly**.)

- ### *Interrogativo* (interrogative)

    E.g.   *¿**Cuánto** cuesta este pastel?* (**How much** is this cake?)
    *¿**Cómo** llego al centro de la ciudad?* (**How** do I get to downtown?)

- ### *Exclamativo* (exclamative)

    E.g.   *¡**Qué** hermosos ojos tienes!* (**What** beautiful eyes you have!)
    *¡**Cuánta** gente está llegando!* (**How many** people are arriving!)

- ### *Afirmación* (affirmation)

    E.g.   ***También** hace frío afuera.* (It is **also** cold outside.)
    ***Verdaderamente**, no entiendo.* (**Truly**, I don't understand.)

- ### *Negación* (negation)

    E.g.   *Ella **tampoco** quiere ir.* (She doesn't want to go **either**.)
    *Yo **nunca** trabajo de noche.* (I **never** work at night.)

- ### *Duda* (doubt)

    E.g.   ***Probablemente** hace calor.* (It is **probably** hot.)
    ***Quizás** sea tarde para salir.* (**Maybe** it is late to go out.)

- *Comparativo* (comparative)

These kinds of adverbs compare the actions, and are used as adjectives. Comparative adverbs are formed like this:

> E.g.   *Mi esposo es **más ordenado que** yo.* (My husband is **neater** than me.)
>
>   *La niña camina **tan rápido como** el niño.* (The girl walks **as quickly as** the boy.)

The formulas you have to remember in these cases are:

- *MÁS/MENOS* + ADVERB + *QUE*
- *TAN* + ADVERB + *COMO*

- *Superlativo* (superlative)

Just as adjectives, adverbs can have the form of superlative, and they are formed by adding the suffix *-ísimo* at the end.

> E.g.   *Ella tiene **muchísimo** entusiasmo por bailar.*
>
>   (She is **very enthusiastic** about dancing.)
>
>   *Este café está **amarguísimo**.* (This coffee is **very bitter**.)

3.8 THE ORDER OF THE ADVERBS
EL ORDEN DE LOS ADVERBIOS

In Spanish it is not like in English: adverbs will take a position depending on what you want to emphasize.

Adverbs of quantity and manner usually go after the verb.

> E.g.   *Los turistas escuchan **atentamente** al guía.*
>
>   (The tourists listen **carefully** to the guide.)
>
>   *A ella le gusta **mucho**.* (She likes it **a lot**.)

When the adverb applies to the complete sentence, it can go between the subject and the verb.

> E.g.   *El hombre **tampoco** sabe cantar.* (The man cannot sing **either**.)
>
>   *Ustedes **siempre** leen revistas.* (You **always** read magazines.)

When the adverb is modifying an adjective or an adverb, it should go before.

E.g.   *Ella habla inglés **bastante** rápido.* (She speaks English **quite** fast.)
        *Nosotros viajamos **muy** lejos.* (We travel **very** far away.)

Some adverbs, such as the ones that indicate time, manner, and place can go at the beginning.

E.g.   ***Realmente**, no sé cómo empezar.* (**Really**, I don't know how to start.)
        ***Hoy** llueve con granizo.* (**Today** it is raining with hail.)

3.9 VERBS ENDING IN *-ER* AND *-IR*
VERBOS QUE TERMINAN EN -ER E -IR

We have learned the main verbs, their different endings, and the first group of verbs (the ones ending in *-AR*) in the previous unit. Now, it is time to explain in detail the endings *-ER* and *-IR*. And this is how it goes:

PRONOUN	ENDING IN -ER	ENDING IN -IR
Yo	-o	-o
Tú	-es	-es
Vos	-és	-ís
Usted	-e	-e
Él/Ella	-e	-e
Nosotros/Nosotras	-emos	-imos
Vosotros/Vosotras	-éis	-ís
Ustedes	-en	-en
Ellos/Ellas	-en	-en

Of course, these rules apply only to regular verbs. We will take care of irregular verbs in the next units. And here are some common verbs ending in -er and -ir.

-ER	CORRER (TO RUN)	COMER (TO EAT)	BEBER (TO DRINK)	ROMPER (TO BREAK)
Yo	corro	como	bebo	rompo
Tú	corres	comes	bebes	rompes
Vos	corrés	comés	bebés	rompés
Usted	corre	come	bebe	rompe
Él/Ella	corre	come	bebe	rompe
Nosotros/Nosotras	corremos	comemos	bebemos	rompemos
Vosotros/Vosotras	corréis	coméis	bebéis	rompéis
Ustedes	corren	comen	beben	rompen
Ellos/Ellas	corren	comen	beben	rompen

As you may have noticed, these verbs behave exactly the same as the ones that end in -*ar*, which means that you will need to take the stem of the verb and change the ending in accordance with the person you are talking about.

The same is true for verbs ending in -*ir*, whose conjugations are very similar to those used for verbs ending in -*er*.

-IR	PARTIR (TO LEAVE)	VIVIR (TO LIVE)	ABRIR (TO OPEN)	ASISTIR (TO ATTEND)
Yo	part**o**	viv**o**	abr**o**	asist**o**
Tú	part**es**	viv**es**	abr**es**	asist**es**
Vos	part**ís**	viv**ís**	abr**ís**	asist**ís**
Usted	part**e**	viv**e**	abr**e**	asist**e**
Él/Ella	part**e**	viv**e**	abr**e**	asist**e**
Nosotros/Nosotras	part**imos**	viv**imos**	abr**imos**	asist**imos**
Vosotros/Vosotras	part**ís**	viv**ís**	abr**ís**	asist**ís**
Ustedes	part**en**	viv**en**	abr**en**	asist**en**
Ellos/Ellas	part**en**	viv**en**	abr**en**	asist**en**

And here are some examples of sentences with the verbs above:

E.g.   *Ellos **corren** para alcanzar el autobús.* (They **run** to catch the bus.)
*Nosotros **comemos** pasta todos los viernes.* (We **eat** pasta every Friday.)
*Vosotros **bebéis** demasiado vino.* (You **drink** too much wine.)
*Ella **asiste** a todas las clases.* (She **attends** all the classes.)
*Los niños **rompen** los juguetes.* (The children **break** the toys.)
*El barco **parte** a las seis.* (The ship **leaves** at six.)
*Vos **vivís** muy lejos.* (You **live** too far.)
*La cocinera **bate** la crema.* (The cook **whips** the cream.)

Now that you know how verbs work, you can do some exercises.
Are you ready for some conjugation?

EJERCICIOS III
EXERCISES III

1) Read about the Statue of Zeus at Olympia and answer true or false.

Estatua de Zeus en Olimpia

Zeus, sentado tranquilamente en un trono dentro de su templo, es una figura imponente de más de 12 metros de altura. En su mano derecha hay una pequeña estatua de la Victoria, en la izquierda un cetro coronado con un águila. Su carne es de marfil, sus ropas de oro y su trono tiene incrustaciones de oro, marfil, ébano y piedras preciosas. Un escritor romano, Quintiliano, dijo sabiamente que la belleza del Zeus de Fidias había añadido algo a la religión tradicional. Solo podemos adivinarlo, ya que no se conserva hoy ninguna imagen de la estatua. Algunas monedas de la cercana ciudad de Elis muestran una cabeza de Zeus que podría estar copiada fielmente de la estatua de Fidias; y algunos moldes, en los que se martilló el oro para el drapeado, fueron encontrados por los excavadores cerca del taller de Fidias en Olimpia. Pero la estatua en sí fue llevada antiguamente a Constantinopla, donde fue destruida por un incendio.

---

a) La estatua medía más de 10 metros _____

b) En la mano izquierda tiene un cetro. _____

c) No existen imágenes de la obra. _____

d) La estatua está ahora en Constantinopla. _____

e) La ropa de Zeus es de plata. _____

2) Identify whether the following words in the text are adjectives or adverbs. Recall which types of words modify each.

imponente - tranquilamente - derecha - antiguamente - fielmente - coronado - sabiamente - preciosas - tradicional - hoy

_____

_____

3) Read about the Mausoleum of Halicarnassus and answer the following questions.

> ### Mausoleo de Halicarnaso
>
> El Mausoleo de Halicarnaso es una de las Siete Maravillas del Mundo Antiguo, y conservó su impresionante grandeza durante casi 1800 años hasta que los terremotos del siglo XV lo desmoronaron en partes. Tras la conquista de Alejandro Magno, el Mausoleo sobrevivió al menos un milenio a la dinastía que lo construyó. Una serie de potentes terremotos en el siglo XIII destruyeron sus columnas, lo que hizo que el carruaje de piedra se estrellara contra el suelo y que en el siglo XV solo se reconociera la base de la estructura.

a) ¿Cuántos años duró el Mausoleo? _____

b) ¿Cuándo se desmoronó? _____

c) ¿En qué siglo se destruyeron las columnas? _____

d) ¿De qué era el carruaje? _____

e) ¿Qué parte de la estructura se pudo ver en el siglo XV? _____

4) These verbs appear in the text. Conjugate them.

PRONOUN	SOBREVIVIR	RECONOCER
Yo		
Tú		
Vos		
Usted		
Él/Ella		
Nosotros/Nosotras		
Vosotros/Vosotras		
Ustedes		
Ellos/Ellas		

5) Read about the remaining wonders of the ancient world.

Coloso de Rodas

La estatua del Coloso en la antigua Rodas, una de las Siete Maravillas del Mundo Antiguo, era una gigantesca estatua del dios Helios. Hecha por el escultor Cares de Lindos, estuvo en proceso de construcción desde el 292 a. C. hasta el 280 a. C. En su momento, fue considerado como el edificio más alto, llegando a los 9 metros. Se construyó para recordar la derrota del ejército romano, que intentaba controlar Rodas. La gigantesca estatua representaba a un hombre que sostenía un arco en una mano y una antorcha de luz en la otra. La estatua fue colocada en el puerto, con sus dos pies parados en los bordes de la entrada. Los barcos pasarían por debajo de él. Pero en una zona propensa a los terremotos, pronto ocurrió lo inevitable: 66 años después de su construcción, un terremoto sacudió Rodas y la estatua se vino abajo. Se rompieron las rodillas y la estatua cayó sobre la tierra, rompiéndose en pedazos.

Faro de Alejandría

En 1968 se redescubrió el Faro de Alejandría bajo el agua en la zona del mar Mediterráneo de la ciudad de Alejandría, en Egipto. La expedición fue dirigida por Honor Frost, quien confirmó la existencia de ruinas que representaban parte del faro. Sin embargo, la exploración se suspendió. En 1994 el arqueólogo francés Jean-Yves Empereur descubrió los restos físicos del Faro de Alejandría en el suelo del puerto oriental de Alejandría. Un cinematógrafo pudo captar las imágenes de las columnas y estatuas encontradas bajo el agua. La mayor parte de los hallazgos consistían en bloques gigantes de granito que pesaban entre 40 y 60 toneladas cada uno, 30 estatuas esfinge y 5 columnas obelisco cuyas tallas databan del reinado de Ramsés II, en 1279-1213 a. C. Muchas otras expediciones en los años futuros siguieron encontrando restos del Faro. Actualmente, hay un plan para convertir las ruinas sumergidas de la antigua Alejandría en un museo submarino.

6) Read the sentences and identify which of the two wonders it refers to.

a) Esta maravilla se encuentra bajo el agua. _____

b) La obra está en el mar Mediterráneo. _____

c) Fue hecha por Cares de Lindos. _____

d) Esta obra solo duró cincuenta y seis años. _____

e) Estaba hecha de granito. _____

f) La obra se vino abajo por un terremoto. _____

g) Hoy en día, hay un proyecto para hacer un museo. _____

h) Su creación tuvo como objetivo recordar la derrota del ejército romano. _____

i) Representaba a un dios. _____

j) Medía nueve metros. _____

7) Read the following sentences from the text and identify which type of word it is: adjective (ADJ), noun (N), preposition (P), contraction (C), verb (V) or adverb (ADV).

a) estatua _____

b) antiguo _____

c) gigantesca _____

d) en _____

e) para _____

f) del _____

g) representaba _____

h) sus _____

i) por _____

j) pronto _____

k) abajo _____

l) zona _____

m) ciudad _____

n) parte _____

o) exploración _____

p) oriental _____

q) captar _____

r) gigantes _____

s) columnas _____

t) muchas _____

u) futuros _____

v) sumergidas _____

8) Choose the correct option.

a) Ella es una ... mujer.

bella - bello - bellamente

b) Los viajeros decidieron tomar el ... vuelo.

hoy - próximo - nunca

c) El avión ... salió con puntualidad.

ayer - por - no

d) Hoy tenemos que salir ...

rápida - rápidamente - rapidez

e) Tenemos dos boletos ... el teatro.

por - para - de

f) Las puertas ... cine abren a las cinco.

al - de - del

g) Todos quieren ... pollo.

beber - comer - tener

h) Ellos prefieren ... a pasear.

vivir - decir - ir

i) ¿Cuándo es el recital ... la banda?

a - al - de

j) ¡... niebla hay aquí!

cuándo - dónde - cuánta

9) Trivia 😊 **Now that you've read a lot about the 7 Wonders of the Ancient World, can you answer these questions?**

a) ¿Cuál de las Siete Maravillas del Mundo Antiguo sigue existiendo en la actualidad?

· La Gran Pirámide de Guiza

· El Faro de Alejandría

· El Coloso de Rodas

b) El templo de Artemisa fue usado como un...

· Hospital

· Banco

· Teatro

c) ¿Cuál de las Siete Maravillas de la Antigüedad se construyó para un dios griego?

· El Faro de Alejandría

· La Estatua de Zeus en Olimpia

· Los Jardines Colgantes de Babilonia

d) ¿Cuál de las Siete Maravillas del Mundo Antiguo podría no haber existido nunca?

· El Faro de Alejandría

· El Coloso de Rodas

· Los Jardines Colgantes de Babilonia

e) El Mausoleo de Halicarnaso estaba situado en el actual país.

· Irak

· Grecia

· Turquía

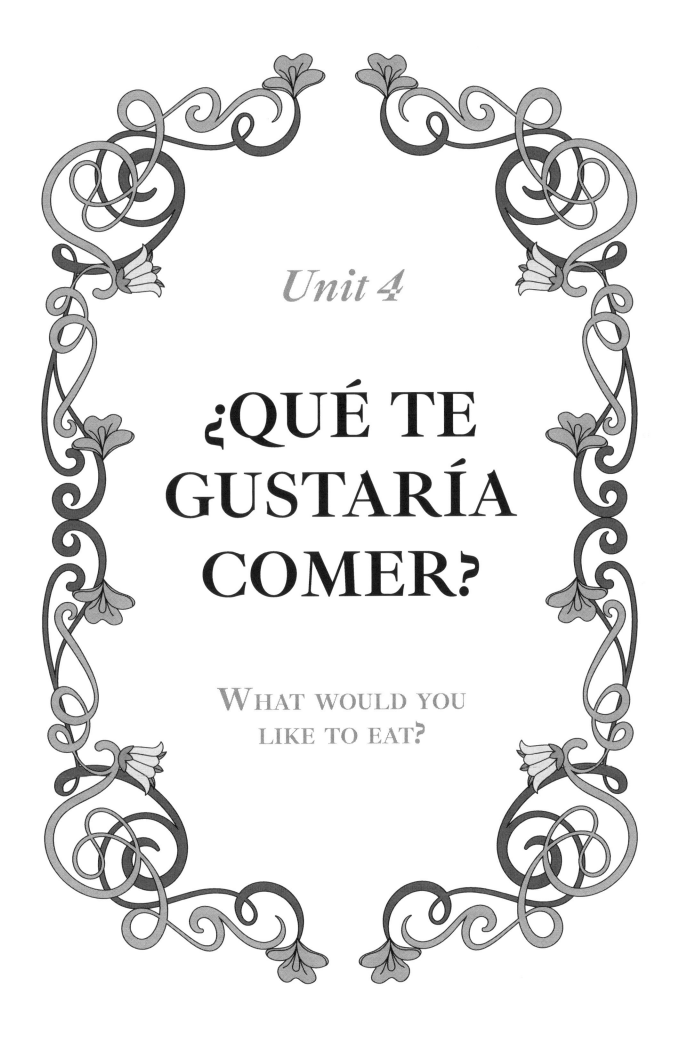

Unit 4

¿QUÉ TE GUSTARÍA COMER?

WHAT WOULD YOU LIKE TO EAT?

In this unit, we are going to talk about a topic that may sound strange and even difficult for non-Spanish speaking people. And this is because they don't literally exist in English. These expressions are said in different ways; therefore, it is sometimes hard to explain it and learn it. But, once again, don't panic! We will make this easy for you to understand with lots of examples! Take a look and listen to this short dialogue:

 ¿Qué te gustaría comer?

Malena y Santi trabajan juntos en una oficina. Se aproxima la hora del almuerzo y hablan sobre lo que van a comer y sus preferencias alimentarias.

Malena: ¡*Me muero* de hambre!

Santi: *Debe ser por el invierno, el invierno da hambre.*

Malena: *La oficina da hambre...*

Santi: *Ahora que miro mi reloj, yo diría que es porque ya llegó la hora de comer. ¿Ordenamos algo o salimos?*

Malena:	*Salgamos. Hemos estado todo el día aquí encerrados. ¿Qué te parece si vamos por comida vegana?*
Santi:	*Sí, algo liviano estaría bien... para ti. Yo **me pediré** algo más suculento: una pasta a la carbonara.*
Malena:	*No **me acordaba** de que te gusta la pasta.*
Santi:	*Vengo de una familia ítalo-española, ¡el aceite de oliva, los quesos, los embutidos, las pastas y las pizzas son lo mío!*
Malena:	*Todo este tiempo conociéndote y no lo sabía. Yo a las pastas no **me apunto** porque soy celíaca.*
Santi:	*Espera un segundo, ¡te he visto comer galletas!*
Malena:	*Claro, son libres de gluten y con ingredientes veganos. Puedo comer lo que sea, siempre que no contenga trigo, avena, cebada y centeno. ¡Y nada de origen animal, por supuesto!*
Santi:	*Entonces, necesitamos un lugar que nos ofrezca variedad. ¿Quieres ir al centro comercial?*

Continuará...

Think about these questions:

1. What is Malena's problem?

2. What does the winter do?

3. What type of food does Santi like to eat?

4. What will Malena order?

If you didn't find the answers, find them below!

1. She cannot eat gluten because she has celiac disease.

2. It makes you hungry.

3. He likes olive oil, cheeses, cold meats, pasta, and pizzas.

4. Something that does not contain wheat, oats, barley or rye, and is not of animal origin.

Let's take what Malena didn't remember:

E.g.   No **me acordaba** de que te gusta la pasta. (I didn't **remember** you like pasta.)

She is saying that she didn't remember... The action falls on Malena, the subject.

Here is another example:

E.g.   Yo **me pediré** algo más suculento.
(I **will order** something more succulent **for myself**)

Santi's actions fall on himself. And this takes us to the introduction of...

4.1 REFLEXIVE VERBS AND PRONOUNS
VERBOS Y PRONOMBRES REFLEXIVOS

Reflexive verbs are verbs that end in the reflexive pronoun 'se' in their infinitive form. For example, *bañarse* (to take a shower). These verbs are mostly verbs that indicate actions that we do to ourselves, and when the subject and the object of the action is the same person.

If we take the last example from Santi, we can see it clearer:

Yo me pediré algo más suculento.

He will order **for himself**. As you can see, the subject and the object refer to the same person, Santi. He won't order for someone else, he won't do anything for another person, he will do it for himself.

As it usually happens in Spanish, every person has its own form, its own reflexive pronoun. The reflexive pronouns are *me, te, se, nos,* and *os*. As you might have guessed, there isn't a translation in English, but an often-implicit approximation in the same order can be that they are equivalent to: myself, yourself, themselves, ourselves, and yourselves; therefore, you will have to learn which these types of verbs are and how they are used.

E.g.   Yo **me baño** todos los días.   (I **take a shower** every day.)

In short, the reflexive verb *bañarse* is conjugated placing the reflexive pronouns in front of the verb. You can see the reflexive verbs in the following table:

PRONOUN	REFLEXIVE VERB	REFLEXIVE PRONOUN	EXAMPLE
Yo	*ducharse* (to take a shower)	me	*Yo **me ducho** todos los días.* (I **take a shower** every day.)
Tú	*acostarse* (to go to bed)	te	*Tú **te acuestas**.* (You **go to bed**.)
Vos	*afeitarse* (to shave)	te	*Vos **te afeitás** la barba.* (You **shave** your beard.)
Usted	*sentarse* (to sit down)	se	*Usted **se sienta** en el sofá.* (You **sit down** on the sofa.)
Él **Ella**	*vestirse* (to get dressed)	se	*Él **se viste** rápido.* (He **gets dressed** fast.)
Nosotros **Nosotras**	*prepararse* (to prepare)	nos	*Nosotros **nos preparamos** el desayuno.* (We **prepare** our breakfast.)
Vosotros **Vosotras**	*peinarse* (to comb your hair)	os	*Vosotros **os peináis**.* (You **comb** your hair.)
Ustedes	*levantarse* (to get up)	se	*Ustedes **se levantan** temprano.* (You **get up** early)
Ellos **Ellas**	*cocinarse* (to cook)	se	*Ellas **se cocinan** la cena.* (They **cook** dinner **for themselves**.)

Some common reflexive verbs are:

- *acostarse*   (to go to bed)
- *afeitarse*   (to shave)
- *bañarse*   (to take a bath)
- *dormirse*   (to go to sleep)
- *ducharse*   (to take a shower)
- *lavarse*   (to wash)

- *levantarse*   (to get up)
- *llamarse*   (to be called)
- *secarse*   (to get dried)
- *sentarse*   (to sit down)
- *vestirse*   (to get dressed)

But there are also other reflexive verbs that can be used in both ways, as reflexive verbs and non-reflexive verbs. In the non-reflexive verb form, the action is performed by someone else—not oneself. On the other hand, there are verbs that change their meanings when used in one way or the other.

E.g.   *Los niños **se niegan** a entrar a la sala.* (The children **refuse** to come into the room.)
         *Los niños **niegan** que comieron caramelos.* (The children **deny** that they ate sweets.)

4.2 THE NEGATIVE IN THE REFLEXIVE VERBS
EL NEGATIVO EN LOS VERBOS REFLEXIVOS

This is very simple! If you want to form the negative, just use the word *no* before the reflexive pronoun.

E.g.   *Ellas **no se peinan**.* (They **don't comb** their hair.)
         *Yo **no me levanto** temprano.* (I **don't get up** early.)

So, make sure you remember these rules:

• Reflexive pronouns are placed before the verb.

E.g.   *Nosotros **nos despertamos** tarde.* (We **wake up** late.)

They are used after the negative adverb (*no*) in the imperative form.

E.g.   *No **te pares** en la mesa.* (**Don't stand up** on the table.)

• And most of the time they are used right after the infinitive.

E.g.   *Ella quiere ir**se**.* (She wants **to go**.)

• Reflexive pronouns go right after (when written as one word) or before gerund in present continuous.

E.g.   *Yo estoy **lavándome** las manos.* (I am **washing my** hands.)
         *Yo **me estoy lavando** las manos.* (I am **washing my** hands.)

• And remember this! Reflexive verbs indicate the action is being performed by myself, yourself, himself, herself, ourselves, themselves, itself, and yourselves.

Are you ready for some practice?

EJERCICIOS I
EXERCISES I

1) **In the first section of Unit 4, read again the text** *"¿Qué te gustaría comer?"* **Answer the following questions.**

a) ¿Quién se muere de hambre?

_____

b) ¿Qué hora es?

_____

c) ¿Por qué Malena quiere que salgan?

_____

d) ¿Qué pedirá Santi?

_____

e) ¿De dónde es la familia de Santi?

_____

f) ¿Quién es celíaco?

_____

g) ¿De qué no se acordaba Malena que le gusta comer a Santi?

_____

h) ¿Qué época del año es?

_____

i) ¿A Santi le gusta el queso?

_____

j) ¿A quién le gustan las galletas?

 2) Now, read and listen to the second part of the dialogue *"¿Qué te gustaría comer?"* **and complete with** *me, te, se, nos, os.* **You can use the words as many times as you need.**

¿Qué te gustaría comer? (Parte 2)

Malena: *Sí, hay opciones veganas y para celíacos. Y también hay un lugar muy bonito donde sirven café de mi Colombia natal.*

Santi: **a)** _____ *parece que quieres que volvamos tarde al trabajo.*

Malena: *Yo* **b)** _____ *comería, como postre, una tarta de chocolate.*

Santi: *Y también* **c)** _____ *parece que quieres que volvamos más gordos a la oficina.*

Malena: *No seas aguafiestas. La comida es para disfrutar en compañía y celebrar. ¡Y yo quiero celebrar que mañana es fin de semana!*

Santi: *Entonces no* **d)** _____ *olvidemos de pedir una copa de champán también.*

Malena: *Pero ¿crees que sea buena idea?*

Santi: *¡Oh, casi lo olvido! Disculpe, señorita vegana que no se salta ninguna clase en el gimnasio, que medita, no bebe alcohol, solo bebe agua (¡2 litros por día!)...*

Malena: *¿Cómo que no bebo alcohol? ¡Soy bartender! Deberías probar mis cócteles,* **e)** _____ *especializo en margaritas y mojitos.*

Santi: *¡¿Qué?! ¿Cómo no* **f)** _____ *enteré de esa habilidad antes?*

Malena: *¡Es porque trabajamos demasiado! A partir de hoy, ¡ **g)** _____ iremos de fiesta más seguido! ¿Qué te parece si charlamos sobre nuestras habilidades culinarias mientras almorzamos? Tengo hambre y todavía no **h)** _____ decidimos.*

Santi: *Creo que eres tú quien no se ha decidido. Si quieres, te puedo ayudar a elegir. ¿Qué te provoca?*

Malena: *Comida mexicana podría ser también: nachos, guacamole y... ¡oh!, un burrito con frijoles y chile picante, ¡qué delicia! O árabe: un sándwich de falafel con salsa de yogur en pan de pita. ¡O una hamburguesa vegana con deliciosos vegetales y papas fritas! Colombiana también podría ser. Santi, ¿y si vamos a comer unas buenas arepas rellenas?*

Santi: *¡Ay, Malena! Estoy tratando de organizarnos y me estás haciendo dudar de lo que yo quiero. ¡Se oyen deliciosas todas las opciones!*

Malena: *Es que **i)** _____ preocupan un poco tus elecciones alimenticias. He notado ya que tienes una predilección por la comida chatarra, alta en grasas saturadas y conservantes. ¿Por qué no intentas incorporar más vegetales a tu dieta? Tu cuerpo te lo agradecerá.*

Santi: *Es cierto, a veces siento que debería prestar más atención a lo que como, **j)** _____ gustaría ser más detallista al elegir mis alimentos.*

Malena: *Te entiendo perfectamente, desde que soy vegana **k)** _____ cocino comidas más saludables y nutritivas, y **l)** _____ cuido de los alimentos procesados. **m)** _____ doy algunos gustos, pero procuro no pasarme de la raya. Así **n)** _____ siento con más energía y **o)** _____ concentro mejor.*

Santi: *Bien, entonces **p)** _____ conformaré con una buena ensalada, con agua natural de manantial y nada más.*

Continuará...

3) Write the following verbs from the text in their infinitive, then turn them into reflexive verbs.

a) sirven _____

b) volvamos _____

c) olvidemos _____

d) especializo _____

e) decidido _____

f) provoca _____

g) organizarnos _____

h) cocino _____

i) cuido _____

j) siento _____

k) conformaré _____

4) Write the following sentences in their negative forms.

a) Ella se cocina todos los mediodías.

_____

b) Nosotros nos bañamos en la mañana.

_____

c) Federico se peina.

_____

d) Ustedes se llevan muy bien.

_____

e) Tú te vistes mal.

_____

4.3 EXPRESSING PREFERENCES: LIKES AND DISLIKES
EXPRESAR LAS PREFERENCIAS: LO QUE GUSTA Y LO QUE NO GUSTA

In the text from the previous section, you read about a couple of coworkers who were trying to decide where to go for lunch. They talked about their preferences and tastes regarding food. And that is what we will talk about in this section: likes and dislikes.

What does Santi like?

Yes! You guessed! Santi likes pasta!

And he expresses it by saying *¡El aceite de oliva, los quesos, los embutidos, las pastas y las pizzas* **son lo mío***!* (Olive oil, cheese, cold meats, pasta and pizza **are my thing!**)

Ok, we understand your concern... *"son lo mío"* is not a very common phrase, you're right, but you should be able to understand that he likes pasta! If you still don't get it, pay attention to what Malena says: *No me acordaba de que* **te gusta** *la pasta.* (I didn't remember you **like** pasta.)

So, he does like pasta. Can you see it now? And you can also see how Malena uses the reflexive pronoun *te*, and that makes the action fall onto the subject, you (Santi, in this case).

Let's talk about how to express likes and dislikes!

4.4 THE VERB "WANT"

EL VERBO "QUERER"

Querer (to want) and *gustar* (to like) are two verbs used to express desire. Now, let's see how they are conjugated:

PRONOUN	VERB QUERER
Yo	quiero
Tú	quieres
Vos	querés
Usted	quiere
Él/Ella	quiere
Nosotros/Nosotras	queremos
Vosotros/Vosotras	queréis
Ustedes	quieren
Ellos/Ellas	quieren

Querer means something we want. Something we want to do, we want to get, we want to be, etc. And *gustar* is used to talk about something that satisfies us, something we are pleased with. However, these two verbs are used in different ways regarding their structure.

The sentence structure of *querer* is simple: you need the person — or animal — who wants something (the subject) and what the person — or animal — wants (the object).

> E.g.   *Yo **quiero** comer pasta.* (I **want** to eat pasta.)

4.5 THE VERB "LIKE"

EL VERBO "GUSTAR"

The structure of a sentence with *gustar* is different. The structure is as follows:

> indirect object pronoun + verb *gustar* + the object

> E.g.   *A Mario **le gusta** comer mucho.* (Mario **likes** to eat a lot.)

What is that word *le*? What does that mean?

That word is an indirect object pronoun, and there are different pronouns for each speaker:

PRONOUN	INDIRECT OBJECT PRONOUN
Yo	me
Tú	te
Vos	te
Usted	le
Él Ella	le
Nosotros Nosotras	nos
Vosotros Vosotras	os
Ustedes	les
Ellos/Ellas	les

You also need to pay attention to the number (plural and singular) of the verb *gustar*. If the object you are talking about is a plural word, you will use *gustan*; but if the object is singular, you have to say *gusta*. Moreover, the pronoun you use will depend on the number of the subject, i.e., if the subject is singular, you use the corresponding singular pronoun (*a él **le** gusta trotar*), and if the subject is plural, you use the corresponding plural pronoun (*a ellos **les** gusta trotar.*)

E.g.   *A mí **me gustan** las zanahorias.* (**I like** carrots.)

   *¿**Te gustan** las manzanas?* (Do **you like** apples?)

   *A ella **le gusta** el té.* (**She likes** tea.)

   *A nosotros **no nos gustan** las bananas.* (**We don't like** bananas.)

   *¿A ustedes **les gusta** el café?* (Do **you like** coffee?)

   *A ellas **les gusta** el pan.* (**They like** bread.)

4.6 OTHER VERBS TO EXPRESS PREFERENCES
OTROS VERBOS PARA EXPRESAR LAS PREFERENCIAS

Here are some other verbs and expressions to express preferences (conjugated in the first person singular):

- *Me encanta*   (I love)

- *Amo*   (I love)

- *Disfruto*   (I enjoy)

- *Me da igual*   (I don't mind)

- *No me gusta*   (I don't like)

- *Odio*   (I hate)

- *Detesto*   (I detest)

Can you see the difference between the singular and plural? Do you see how the verb *gustar* changes when the object is plural? Can you see the indirect object pronouns?

If you answer "yes" to the questions above, you can complete the following exercises!

EJERCICIOS II
EXERCISES II

 1) Read and listen to the following text and answer the questions; then, read it out loud.

Un encuentro muy esperado

Magalí y Pedro son excompañeros de escuela, se reencuentran después de muchos años en un restaurante de autoservicio.

Magalí: *¡Tanto tiempo!*

Pedro: *¡Finalmente pudimos ponernos de acuerdo!*

Magalí: *¡Y solo nos llevó quince años!*

Pedro: *¡Oye, pero qué lindo lugar, Magalí! Cuéntame, ¿por qué lo elegiste? ¿y cómo es esto del autoservicio?*

Magalí: *Por lo que hablamos, tú sigues con tu dieta mediterránea, y yo con mi plan nutricional específico; por eso, se me ocurrió venir aquí, pues hay algo para todos los gustos. Además, el procedimiento es muy simple y ágil: como primer paso, por políticas del restaurante, hay que lavarse las manos. Segundo paso, tomas un plato y vas al buffet. Allí está todo dividido por tipos de comida: vegetales, carnes, platos preparados, postres y bebidas. Tercer y último paso, te sirves lo que se te antoje, eliges una mesa, te sientas, comes, bebes y repites... ¡hasta que te canses!*

Pedro: *Había escuchado de estos lugares, pero nunca me atreví a entrar porque me preocupaba la limpieza. Supongo que estaba equivocado. ¡Mira la higiene de este lugar!*

Magalí: *Así es, Pedro. Me alegra mucho que te guste.*

Pedro: *¿Entramos?*

Magalí: *Claro que sí. ¡Entremos!*

Continuará...

---

a) ¿A Pedro le gusta el lugar? ¿Cómo lo expresa?

_____

b) ¿Por qué se le ocurrió a Magalí ir a ese restaurante?

_____

c) ¿Qué le preocupaba a Pedro?

_____

 2) Listen to the rest of the dialogue and complete with the missing words or phrases.

Un encuentro muy esperado (Parte 2)

Magalí: _Buscando ingredientes para un primer plato de ensalada de legumbres y pescado, mira con qué me topé: estos bocadillos rellenos_

de mozzarella que **a)** _____, _son muy similares a los tequeños que hacía una amiga de Venezuela. A ver, prueba. ¡Cuidado, no te vayas a quemar!_

Pedro: ¡ **b)** _____ _esto! También hay variedad de aceites de_

oliva y quesos para la ensalada. ¿Los viste? Yo me detuve al ver este plato vegetariano indio cargado de especias. Huele.

Magalí: _Me resulta familiar ese olor._ **c)** _____¿Cardamomo? ¿Clavo de olor, quizás?_

Pedro: _Probablemente, ambos. La comida india lleva muchos condimentos: pimienta, canela, cúrcuma, comino..._

Magalí: _Esta debe ser como la décima vez que vengo, y cada vez que lo hago me sorprendo con algo nuevo. Hoy, con estos mejillones a la marinera._

Pedro: _Definitivamente, se ven exquisitos. Pero, cambiando de tema, ¡ponme al corriente! ¿Cómo va esa vida de talentosa arquitecta premiada, Magalí? ¿Cómo has logrado que te ofrezcan los proyectos más importantes del país? Hace mucho que no nos vemos, ¡pero_

d) _____seguirte en redes!_

Magalí: *Bueno, es una carrera bastante ardua, en la que tengo que seguir estudiando constantemente, investigando lo que están haciendo los arquitectos más grandes del mundo entero, tratando de innovar. También aprendo de los mejores, tanto nacional como internacionalmente, y me parece muy importante que una obra no solo sea atractiva, sino útil... ¡Yo también veo tus publicaciones! Cuéntame, ¿qué tal tu vida de súper papá y abogado exitoso, Pedro?*

Pedro: *Por favor, ¡me sonrojo! La vida de súper papá y abogado no es tan dura cuando tienes una súper aliada que lucha contigo: mi esposa, Patricia. Me levanto y, después del café y las tostadas del desayuno, preparo los sándwiches y las frutas para las loncheras de los niños, mientras voy organizando mentalmente la agenda del día. Llego a la oficina, hago mi ejercicio diario de subir hasta el quinto piso por las escaleras y empieza la locura.* **e)** _____*dejar de ejercitarme. Me tomo una pausa al mediodía para una comida rápida y vuelvo a los clientes, los jueces, las audiencias, los casos... Cuando vuelvo a casa, me quito los zapatos y espero a que Patricia se encargue de todo. En general, yo me encargo de las mañanas y ella se ocupa de las noches, mientras yo me relajo un poco, me baño o me permito una copa de vino. Finalmente, me acuesto a leer un libro. Pero dime más, ¡hay mucho de qué hablar!*

Magalí: *Mi agenda también está siempre demasiado ocupada, algo que* **f)** _____ *¡No sé qué sería de mí sin mi secretaria! Lo primero que escucho todas las mañanas es el odioso sonido del despertador que me obliga a despertarme. Me cepillo los dientes, peino mi cabello, me baño, me visto, me maquillo y me miro al espejo para estar bien presentable; aunque hago todo en piloto automático. Recién empiezo a funcionar al llegar a la oficina, y allí Margarita se encarga de los clientes, la agenda, las llamadas, los pagos y demás, para que yo pueda dedicarme a los proyectos y las obras hasta la hora de irme, que es lo que más* **g)** _____*Después, me tomo un tiempo para mí y voy al gimnasio. Llego a casa, me como* *algo rico que prepara Lupita (por lo general, tortillas con frijoles), pero a veces me preparo una ensalada ligera. ¡Eh, no creas que solo tú*

*tienes hábitos saludables! Después de cenar, **h)** _____ ver series y acostarme. Admito que me cuesta conciliar el sueño, porque me quedo pensando en los planos de las obras para el día siguiente.*

Pedro: *Me acuerdo de ti en la escuela. Te pasabas horas haciendo edificios y ciudades con bloques; ya eran unas maquetas bastante buenas para*

*esa edad. Ya se te notaba la vocación, ¡ **i)** _____ hacer eso! Y a mí también, yo reconocía tu sentido estético, pero también te aconsejaba en qué debías mejorar. Siento que tengo ese lado paternal desde niño.*

Magalí: *Sí, a veces querías actuar un poco como el papá de todos nosotros, cuidándonos demasiado. Pero por algo tus hijos te adoran.*

Pedro: *Creo que sí llego a sobreprotegerlos, pero ellos entienden que les exijo bastante porque veo su potencial.*

Magalí: *Y, además de exigirles a sus hijos –y a mí–, me puede explicar qué más hace, abogado.*

Pedro: *Pero no se enoje, querida Magalí. Le cuento. Después de mi primer café del día (porque me tomo muchos), me subo al metro y camino hasta llegar al bufete, listo para tres reuniones seguidas de planificación y planteamiento de casos con clientes confundidos, llenos de preguntas, ansiosos, inquietos, desesperados y furiosos –porque nunca faltan los que quieren buscar venganza–. En algún momento, me hago tiempo para charlar con mis colegas sobre nuevas iniciativas para mejorar las dinámicas de trabajo o los procedimientos. Durante la segunda parte del día veo unos casos más y reviso documentos hasta que termino la jornada, y ahí sí me regalo una caminata relajante por el parque hacia mi casa. Cuando tengo un día más tranquilo en el trabajo y salgo temprano, en el camino paso por el mercado y compro unos víveres para cocinar algo delicioso para mí y mi familia. Desde mi viaje a la India he aprendido mucho de su cocina y me acostumbré a los sabores* *intensos y al picante. Preparo platos simples pero llenos de sabor, como arroz con curry y verduras, y legumbres cocidas. A Patricia y a los niños les encantan.*

Magalí: *No sé tú, pero yo, después del segundo plato y de tan solo escucharnos relatar nuestras rutinas, me cansé. Creo que necesito azúcar. Dime, ¿también se te antoja un postre?*

Pedro: *¡Yo j)* _____

Magalí: *¡Vamos!*

 3) Listen again to the audio in exercise 2, and place Pedro's routines in order.

a) preparo los sándwiches y las frutas para las loncheras de los niños _____

b) me baño _____

c) tomo una pausa al mediodía _____

d) Llego a la oficina _____

e) hago mi ejercicio diario _____

f) tomo café y desayuno _____

g) me acuesto a leer un libro _____

h) Me levanto _____

i) me quito los zapatos _____

4.7 THE SUBJUNCTIVE
EL SUBJUNTIVO

When this verbal form is used in a sentence, what is sought to be expressed is unspecific information, which has not been verified or experienced in any way.

Now, let's look at some examples of the subjunctive mood to better understand what it is all about.

In the case of the present simple, it would be:

PRONOUN	AMAR (TO LOVE)	TEMER (TO FEAR)	ABRIR (TO OPEN)
Yo	ame	tema	abra
Tú	ames	temas	abras
Vos	ames/amés	temas	abras
Usted	ame	tema	abra
Él/Ella	ame	tema	abra
Nosotros/-as	amemos	temamos	abramos
Vosotros/-as	améis	temáis	abráis
Ustedes	amen	teman	abran
Ellos/-as	amen	teman	abran

On the other hand, when talking about the past continuous:

PRONOUN	TOCAR (TO TOUCH)	BEBER (TO DRINK)
Yo	tocara/tocase	bebiera/bebiese
Tú	tocaras/tocases	bebieras/bebieses
Vos	tocaras/tocases	bebieras/bebieses
Usted	tocara/tocase	bebiera/bebiese
Él/Ella	tocara/tocase	bebiera/bebiese
Nosotros/-as	tocáramos/tocásemos	bebiéramos/bebiésemos
Vosotros/-as	tocarais/tocaseis	bebierais/bebieseis
Ustedes	tocaran/tocasen	bebieran/bebiesen
Ellos/-as	tocaran/tocasen	bebieran/bebiesen

As you can see, there are two endings in this mode (-*ra* and -*se*), but don't worry, they are used interchangeably! So, if you have doubts about which ending to use, just think of the one that sounds better or is easier for you to remember or pronounce. It should also be noted that regular verbs ending in -*er* and -*ir* are usually conjugated in the same way.

And, last but not least, in the case of the future simple:

PRONOUN	COMPRAR (TO BUY)	APRENDER (TO LEARN)
Yo	comprare	aprendiere
Tú	comprares	aprendieres
Vos	comprares	aprendieres
Usted	comprare	aprendiere
Él/Ella	comprare	aprendiere
Nosotros/-as	compráremos	aprendiéremos
Vosotros/-as	comprareis	aprendiereis
Ustedes	compraren	aprendieren
Ellos/-as	compraren	aprendieren

Nevertheless, you will be glad to know that these three simple forms of the subjunctive mood are used in very specific cases, as mentioned above; especially the latter, whose use is actually quite rare.

4.8 THE IMPERATIVE

EL IMPERATIVO

¿Te gustan las papas? ¿Te gusta el huevo? We mean, do you like potatoes? Do you like eggs? Good! Take a look at this recipe:

TORTILLA DE PAPAS

Ingredientes:

- *4 papas*   - *sal*
- *1 cebolla*   - *aceite de girasol u oliva*
- *4 huevos*

Procedimiento:

*1) **Lava** las 4 papas para quitar toda la suciedad que puedan traer para luego pelarlas. **Córtalas** en rodajas finas o cuadrados pequeños. **Intenta** que todas sean del mismo tamaño para que se cocinen de manera uniforme.*

*2) **Pela** la cebolla y **córtala** en tiras, o puedes triturarla para que no se noten los pedacitos de cebolla en la tortilla.*

*3) Mientras cortas la cebolla, **coloca** una sartén a fuego medio con un poco de aceite de girasol u oliva, según tu preferencia. **Añádele** sal a la cebolla y, una vez que el aceite esté bien caliente, **agrega** las tiras de cebolla para rehogarlas a fuego lento. **Utiliza** una espátula o cuchara de madera y **remueve** la cebolla constantemente para que no se queme ni se pegue a la sartén.*

*4) **Agrega** una cantidad abundante de aceite en una sartén grande para freír las papas.*

*5) **Agrega** 4 huevos en un recipiente y **bátelos** con una pizca de sal. Luego, **añade** la cebolla y las papas. **Revuelve** con un tenedor para que todo quede perfectamente integrado.*

*6) **Pon** una sartén antiadherente (puede ser una que ya hayas utilizado) al fuego y **añádele** unas gotas de aceite de girasol u oliva que cubran la superficie de la sartén. Deberás asegurarte de que la tortilla no se pegue a la sartén, ya que, de ser así, probablemente se rompa y pierda su forma.*

*7) **Remueve** los ingredientes de la tortilla con una cuchara de madera para que el huevo se vaya cocinando a fuego lento. Luego, deberás ir dándole forma redonda y presionando suavemente para que vaya ganando consistencia de a poco.*

*8) Una vez que veas que la tortilla se está cociendo y está dorada por debajo, **dale** la vuelta con la ayuda de un plato para que siga cocinándose por el otro lado. El recipiente está caliente, debes tener cuidado al manipularlo. **Intenta** ser rápido a la hora de dar vuelta a la tortilla para que no se rompa ni pierda su forma.*

*9) **Repite** el paso anterior cuantas veces sea necesario hasta que el huevo esté completamente cocido y firme, y las papas y la cebolla estén doradas de ambos lados. Para comprobar si el huevo está cuajado, **pínchalo** con un tenedor. Si no te gusta el huevo demasiado cocido, **retira***

We have highlighted some verbs in the text. Can you guess what they are? Or what they are saying? How are they saying it?

This form of conjugation is called imperatives, and they consist in commands, instructions, and orders. We use imperatives when we tell someone what to do. Sometimes they are just instructions, as the examples in the text. But sometimes they are orders and may sound hard.

The conjugation of the imperative commands changes when using the pronouns *tú/vos*, *usted*, *ustedes*, *nosotros* and *vosotros*.

When to use the imperative:

- To suggest or propose something.

  E.g.   ***Comamos*** *pescado*. (**Let's eat** fish.)

- To give orders.

  E.g.   ***Lava*** *los platos ahora*. (**Wash** the dishes now.)

- To give advice.

  E.g.   *Si tienes hambre*, ***come*** *algo*. (If you are hungry, **eat** something.)

- To make requests.

  E.g.   ***Dame*** *el vaso*. (**Give me** the glass.)

In Spanish, the tone of voice will indicate if it is an order, a suggestion—usually introduced or ended with *por favor* (please)—or advice.

4.9 CONJUGATION OF THE IMPERATIVE FORM
CONJUGACIÓN DE LA FORMA IMPERATIVA

- The imperative form is used with the pronouns *tú, vos, usted, nosotros/nosotras, vosotros/vosotras* and *ustedes*. It is only used with the pronoun *yo* when you are in a monologue (and then the imperative form is the same used with the pronoun *tú*)*.

- It is always used without its pronoun.

- It is always used in the present tense (indicative or subjunctive mood).

- To form the negative, we add the word *no* in front of the verb and the verb has to change according to the pronoun.

PRONOUN	IMPERATIVE COMMAND	NEGATIVE IMPERATIVE COMMAND
Tú	come	no comas
Vos	comé	no comás
Usted	coma	no coma
Nosotros/Nosotras	comamos	no comamos
Vosotros/Vosotras	comed	no comáis
Ustedes	coman	no coman
Yo*	come*	no comas*

- The conjugation of the 2nd singular person (*tú*) in the imperative takes the form of the 3rd singular person of the present tense of the indicative. But, in the negative form, the imperative command uses the 2nd singular person of the subjunctive mood in the present tense. Wow! Look at the example to understand.

  E.g.   ***Come*** *la comida*. (**Eat** the food.)

  Take a look at an example of the 3rd singular person of the present tense from the indicative:

  E.g.   *Él **come** la comida*. (He **eats** the food.)

  Can you see that the verb *come* in the 3rd singular person of the present tense is exactly the same as in the imperative for *tú*?

- The imperative of the pronoun *vosotros* is formed taking the infinitive and replacing the *-r* with *-d*. And the negative form for *vosotros* takes the 2nd plural pronoun from the subjunctive.

  E.g.   ***Tomad*** *agua*. (**Drink** water.)
          *No **toméis** agua*. (**Don't drink** water.)

What is the infinitive of *tomad*? *Tomar*. Can you see how the *-r* is changed to *-d*? This is an example of the 2nd plural person of the subjunctive:

E.g.   *Espero que vosotros no **toméis** agua de la piscina.*
(I hope you don't **drink** water from the pool.)

Can you see that the verb *toméis* in the imperative of *vosotros* and the present of the subjunctive are equal?

• When you want to be polite with someone (and you should always be), you need to use the 3rd singular person of the present from the subjunctive mood in the affirmative and negative imperative.

E.g.   ***Saboree** la comida.* (**Taste** the food.)
***Corte** el pastel.* (**Cut** the cake.)

Take a look at an example of the present from the subjunctive mood:

E.g.   *Espero que él **saboree** la comida.* (I hope he **tastes** the food.)
*Quiero que ustedes **corte** el pastel.* (I want you to **cut** the cake.)

Can you see the verbs *saboree* and *corte* in the subjunctive form are exactly the same as the imperative for *usted*?

• When we use *nosotros* in the imperative form, we take the 1st plural pronoun of the present from the subjunctive mood in affirmative and negative.

E.g.   ***Preparemos** la ensalada.*
(**Let's prepare** the salad.)

*No **preparemos** ensalada.*
(**Let's not prepare** the salad.)

Take a look at an example of the present from the subjunctive mood:

E.g.   *Ellos quieren que nosotros **preparemos** la ensalada.*
(They want us to **prepare** the salad.)

Can you see the verb *preparemos* is exactly the same as in the imperative for *nosotros*?

4.10 REFLEXIVE VERBS AND IMPERATIVE, TOGETHER!

LOS VERBOS REFLEXIVOS Y EL MODO IMPERATIVO ¡JUNTOS!

Let's talk about the reflexive verbs and the imperative. Do you remember which characteristic the reflexive verbs have?

> E.g.   ***Sentémonos*** *a comer*. (**Let's sit** to eat.)

Reflexive verbs, those that end in -*se*, are changed when forming the imperative. In the affirmative form, the reflexive pronouns (*me, te, se, nos, os*) follow the verb.

In the example above, *sentarse* is the main verb. *Nos sentamos* is the conjugation of the 1ˢᵗ plural person of the indicative mood. And to form the imperative, we use the 1ˢᵗ person plural of the present from the subjunctive mood. What a mess! Check this out!

1. *Sentarse* (to sit) > Reflexive verb.

2. *Nosotros nos sentamos* (we sit) > *Sentarse* conjugated in the 1ˢᵗ person plural of the indicative mood.

3. *Sentemos* (sit) > Conjugation of the 1ˢᵗ person plural of the subjunctive mood.

4. *Es hora de que nos sentemos a comer* (It's time for us to sit and eat) > Example of the conjugation of the 1ˢᵗ person plural of the subjunctive mood.

5. *Sentémonos* > imperative form of *nosotros* > *sentemos* + *nos* (we omit the -*s* at the end of the imperative form of the verb when adding *nos*).

Instead, in the negative form, we put the reflexive pronoun after the word *no* (and keep the -*s*).

> E.g.   ***No nos sentemos*** *a comer*. (**Let's not sit** to eat.)

4.11 ADVERBS OF FREQUENCY

ADVERBIOS DE FRECUENCIA

We said we had enough of reflexive verbs, but we lied! We will still need them to explain the next topics. But you already know them because you practiced and read some texts, haven't you? Either way, here you have more examples:

E.g.   *Cuando **me** levanto, **me** lavo la cara, **me** peino, **me** cepillo los dientes, **me** visto y **me** hago el desayuno.*
(When I get up, I wash my face, comb my hair, brush my teeth, get dressed, and make breakfast for myself.)

Why do we use *me* over and over again in this sentence? Because the actions rely on the subject—*yo*. The subject is not doing the action for someone else, but for itself.

Is it clearer now?

What do you do when you get up?

These things we do during the day, the week, regularly, are the routines. And when we talk about routines, we sometimes need to use reflexive, the present simple, and frequency adverbs!

We talked about adverbs in the previous chapter. So, let's jump to the frequency adverbs.

Frequency adverbs are used to talk about how often we do an action or the frequency with which an event happens. Always, usually, sometimes, never... But there are also some expressions to indicate frequency, just as in English.

E.g.   *Ella cocina **a diario**.* (She cooks **daily**.)

Here are the most common adverbs of frequency in Spanish:

- *siempre* (always)

- *frecuentemente* (frequently)

- *nunca* (never)

- *de vez en cuando* (occasionally)

- *a menudo* (often)

- *rara vez* (rarely)

- *a veces* (sometimes)

- *usualmente* (usually)

And here are some phrases:

- *todos los días (every day)*

- *una vez por semana (once a week)*

- *dos veces por semana (twice a week)*

- *con regularidad (regularly)*

- *cada tanto (from time to time)*

- *en algunas ocasiones (in some occasions)*

- *cada dos años (every two years)*

Where should we put the adverb in the sentence? Because you know that in English they have a certain position. We cannot use them wherever we want!

In general, in Spanish we put them before or after the word that they are modifying, which means that they can be in initial, final, and even medial position and the meaning will be the same.

E.g.   *Ellos **usualmente** comen a las 2.* (They **usually** eat at 2.)
   *Ellos comen **usualmente** a las 2.* (They **usually** eat at 2.)
   ***Usualmente**, ellos comen a las 2.* (**Usually**, they eat at 2.)
   *Ellos comen a las 2 **usualmente**.* (They eat at 2 **usually**.)

Unfortunately, this is not the end of the explanation. The position of an adverb depends on the word it modifies. For our current focus on verbs, remember this:

When an adverb of frequency modifies the entire sentence, you can place it at the beginning, in the middle, or at the end, as shown in the examples above.

 Check this dialogue:

"*En el restaurante*"

Mesero	– *Buen día, señor. Mi nombre es Javier y seré su mesero el día de hoy. ¿Qué puedo ofrecerle?*
Cliente	– *Buen día, quisiera ordenar un café y, ¿podría decirme el menú del día?*
Mesero	– ***Todos los días*** *tenemos pollo al horno con papas, pasta a la carbonara, carne de cerdo con una mezcla de vegetales y risotto de champiñones.* ***A veces*** *tenemos pescado, pero hoy no.*

Cliente	– Bien, entonces, me gustaría un plato de risotto con champiñones.
Mesero	– Por supuesto, le traeré el café enseguida. La comida demorará unos minutos.
Cliente	– Gracias. Antes de irse, ¿podría decirme dónde está el baño para lavarme las manos? **Siempre** me lavo las manos antes de comer.
Mesero	– Claro, debe ir al final del pasillo y hacia la derecha. No podrá perderse.
	\<Luego de unos minutos, de vuelta en su mesa\>
Mesero	– Aquí está su café. Enseguida le traigo su plato.
Cliente	– Disculpe, pero ¿podría moverme a otra mesa? Siento un poco de frío por el aire acondicionado.
Mesero	– Lo lamento, pero el resto de las mesas están **usualmente** ocupadas, y hoy no es la excepción.
Cliente	– Está bien, entiendo. ¿Podría avisarme si se desocupa alguna, si no es mucha molestia?
Mesero	– Le avisaré apenas tenga alguna disponible.
Continuará...	

You can see there are frequency adverbs in bold in the text. Can you rewrite those sentences writing the adverbs in different positions?

It's time to integrate all the things you have studied in this lesson and see how much you understood and how much you remember. It's time to practice and study, to start speaking, listening and writing in Spanish. What do you think?

EJERCICIOS III
EXERCISES III

1) Identify in the following recipe all the verbs in the imperative form. Write down the sentences and make them negative.

E.g.   ***Comienza*** *esta receta realizando el caramelo del pastel.*
         No comiences *esta receta realizando el caramelo del pastel.*

PASTEL DE MANZANA

Ingredientes:

- *4 manzanas*
- *El jugo de 1 limón*
- *100 gramos de azúcar*
- *300 gramos de harina leudante*

- *100 gramos de mantequilla*
- *4 huevos*
- *200 gramos de azúcar (1 taza)*
- *1 cucharada de esencia de vainilla*

Procedimiento:

1) *Comienza esta receta realizando el caramelo del pastel. Coloca el azúcar en una olla, agrega el zumo de 1 limón y agrega agua. Luego, pon al fuego hasta que el color de la mezcla aclare. Ten cuidado de que no se oscurezca demasiado para que no se queme el caramelo.*

2) *Utiliza ese caramelo para bañar la base y los lados internos del molde donde pondrás el pastel.*

3) *Pela las manzanas, córtalas por el medio, retira los corazones de las manzanas y colócalas unos minutos en agua con limón.*

4) *Corta las manzanas en láminas. Deberás cubrir toda la base del molde, sobre el caramelo, con ellas. Resérvalo.*

5) *En un recipiente aparte, bate los 4 huevos con los 200 gramos de azúcar y los 100 gramos de mantequilla derretida. Una vez integrados todos los ingredientes, añade la esencia de vainilla y mezcla nuevamente para integrar todo.*

---

6) *Incorpora los 300 gramos de harina leudante, hazlo poco a poco para que no queden grumos ni se apelmace la mezcla. Bate hasta conseguir una mezcla homogénea. Vierte esta mezcla en el molde reservado previamente, sobre las manzanas.*

7) *Lleva la preparación a un horno moderado, a 180 °C por unos 30 minutos. Todo va a depender del tipo de horno que tengas y cómo caliente este. Deberás ir chequeando la preparación, siempre sin abrir la puerta del horno. Una vez que creas que el pastel está cocido, abre un poco la puerta y pincha la masa con un palillo de madera para ver si está lista o no. Si el palillo sale seco, el pastel está completamente cocido. Luego, deja el pastel enfriar.*

8) *Una vez que el pastel esté completamente frío, podrás desmoldarlo. Solo toma un plato y ponlo boca abajo sobre la parte superior del molde, con mucho cuidado gira firmemente el molde boca abajo y golpea suavemente el plato en la mesa para asegurarte de que el pastel se despegó completamente del molde.*

9) *Una vez desmoldado este pastel de manzana, decóralo con el caramelo líquido que preparaste al principio. También puedes acompañar este pastel con helado de yogur casero para degustar a la hora de la merienda. ¡Sabe exquisito tanto con té como con café!*

_____

_____

_____

_____

_____

_____

_____

_____

_____

2) Use the following words to write sentences using reflexive pronouns in the imperative form.

E.g.   Acostarse/temprano *¡Acostémonos temprano!*

a) Afeitarse/bien   _____

b) Bañarse/más tarde   _____

c) Dormirse/luego   _____

d) Ducharse/juntos   _____

e) Lavarse/las manos   _____

f) Levantarse/a las 10   _____

g) Secarse/los pies   _____

h) Sentarse/aquí   _____

i) Vestirse/elegante   _____

3) Read the continuation of the text "*En el restaurante*" and delete the words or phrases that do not correspond.

En el restaurante (Parte 2)

Cliente – *¿También siempre podría traerme una botella de agua con gas para acompañar la comida?*

Mesero – *Enseguida.*

Mesero – *Aquí le traigo su risotto con champiñones y su agua con gas.*

Cliente – *Gracias, ¿puedo nunca pedirle otra taza de café?*

Mesero – *Enseguida le traigo otro.*

<Media hora después>

Mesero – *¿Le agradó la comida, señor? ¿Puedo ofrecerle algo más?*

Cliente	*– Estaba preguntándome si de vez en cuando tienen alguna tarta de postre. ¿Tarta de queso? Hace muchos días que tengo ganas de comer tarta de queso.*
Mesero	*– No nos queda nunca tarta de queso, desafortunadamente. Pero puedo ofrecerle una tarta de manzana o una tarta de fresas y chocolate.*
Cliente	*– Entonces, me apetece una porción de tarta de manzana, sí. ¿Y podría a veces traerme otra porción para llevar? Me gustaría llevarle una a mi hermana, que está de visita en la ciudad y siempre viene a comer aquí. Es su restaurante preferido.*
Mesero	*– Le agradezco sus halagos. Voy a comentarle al cocinero sus cumplidos.*
Cliente	*– Al contrario, yo debo agradecerle su atención.*
Mesero	*– Enseguida le traigo ambas cosas.*
Cliente	*– ¿Puede también traerme la cuenta todos los días?*
Mesero	*– Desde luego.*
Mesero	*– Aquí tiene su porción de tarta, y le entrego su pedido para llevar y su cuenta.*
Cliente	*– Muchas gracias. Esto está delicioso. Aquí tiene mi tarjeta y déjeme darle su propina.*
Mesero	*– Gracias. ¡Vuelva pronto!*

_____

_____

_____

_____

_____

Unit 5

¿CÓMO ESTABA EL TIEMPO AYER?

WHAT WAS THE WEATHER LIKE YESTERDAY?

5.1 THE IMPERFECT INDICATIVE
EL MODO IMPERFECTO DEL INDICATIVO

The past imperfect indicative is used in Spanish to express past actions whose beginning and end are not specified. In the same way, it serves to emphasize the continuity or regularity of action in the past.

The imperfect past tense in Spanish is used to:

- Describe a situation in the past.

    E.g.   *Ayer **estaba** nublado.* (Yesterday, it **was** cloudy.)

- Relate routines from the past or past actions that are repeated.

    E.g.   ***Pensaba** mucho en las vacaciones.* (I **thought** a lot about vacations.)

- Point out past courses of actions that are prolonged in time and whose beginning and end are not specified.

> E.g. ***Imaginaba*** *que llovería, pero no...* (I **imagined** it would rain, but not...)

- Describe past courses of actions that, while they occur, are interrupted by a new, specific action that is expressed using the past indefinite.

> E.g. *Ella **caminaba** bajo la lluvia cuando lo vio.*
> (She **was walking** under the rain when she saw him.)

5.2 THE CONJUGATION IN THE PAST IMPERFECT INDICATIVE
LA CONJUGACIÓN EN EL PRETÉRITO IMPERFECTO DEL MODO INDICATIVO

To conjugate a regular verb in the past imperfect, we must eliminate the endings *-ar*, *-er*, *-ir* of the infinitive and add those corresponding to each person, as shown below. Verbs ending in *-er* and *-ir* adopt the same endings.

PRONOUN	-AR		-ER / -IR		
	ENDING	HABLAR (TO SPEAK)	ENDING	SABER (TO KNOW)	VIVIR (TO LIVE)
Yo	-aba	hablaba	-ía	sabía	vivía
Tú	-abas	hablabas	-ías	sabías	vivías
Vos	-abas	hablabas	-ías	sabías	vivías
Usted	-aba	hablaba	-ía	sabía	vivía
Él/Ella	-aba	hablaba	-ía	sabía	vivía
Nosotros/-as	-ábamos	hablábamos	-íamos	sabíamos	vivíamos
Vosotros/-as	-abais	hablabais	-íais	sabíais	vivíais
Ellos/Ellas	-aban	hablaban	-ían	sabían	vivían
Ustedes	-aban	hablaban	-ían	sabían	vivían

5.3 REFLEXIVE VERBS

VERBOS REFLEXIVOS

In reflexive verbs, the reflexive pronoun (*me, te, se, nos, os, se*) is always placed before the verb. Remember?

E.g.   *Él **se bajaba** del metro y veía el sol.* (He **was getting off** the subway and seeing the sun.)
*Nosotros **nos recostábamos** bajo el árbol.* (We **were lying down** under the tree.)

5.4 IRREGULAR CONJUGATION

LA CONJUGACIÓN IRREGULAR

In Spanish, there are only a few irregular-conjugation verbs in the past imperfect, compared to the number of regular conjugations that exist in this language. Among the most used are:

PRONOUN	IR (TO GO)	SER (TO BE)	VER (TO SEE)
Yo	iba	era	veía
Tú	ibas	eras	veías
Vos	ibas	eras	veías
Usted	iba	era	veía
Él/Ella	iba	era	veía
Nosotros/-as	íbamos	éramos	veíamos
Vosotros/-as	ibais	erais	veíais
Ustedes	iban	eran	veían
Ellos/Ellas	iban	eran	veían

5.5 THE INDEFINITE INDICATIVE
EL MODO INDICATIVO INDEFINIDO

The past indefinite of indicative is used in Spanish to express actions that began and ended in the past and took place in a specific way or in limited time-space, or that interrupted another course of action, also in the past and expressed in past imperfect.

The past indefinite is used in Spanish to express:

- Actions that take place at a specific time in the past in a timely manner.

  E.g.   *Ellos **corrieron** rápido bajo la tormenta.*
  (They **ran** fast under the storm.)

- A new action that occurs in the past and that interrupts a course of action that was already in progress, and that is expressed in past imperfect.

  E.g.   *Él **llamó** al piloto cuando el avión **estaba partiendo**.*
  (He **called** the pilot when the plane **was taking off**.)

5.6 CONJUGATION IN THE PAST INDEFINITE INDICATIVE
CONJUGACIÓN EN EL PRETÉRITO INDEFINIDO DEL MODO INDICATIVO

To conjugate a verb in the past indefinite, the endings *-ar, -er, -ir* must be deleted and add those corresponding to each person, as shown below. Verbs that end in *-er* and *-ir* adopt the same endings.

PRONOUN	-AR		-ER / -IR		
	ENDING	HABLAR (TO SPEAK)	ENDING	APRENDER (TO LEARN)	VIVIR (TO LIVE)
Yo	-é	hablé	-í	aprendí	viví
Tú	-aste	hablaste	-iste	aprendiste	viviste
Vos	-aste	hablaste	-iste	aprendiste	viviste
Usted	-ó	habló	-ió	aprendió	vivió
Él/Ella	-ó	habló	-ió	aprendió	vivió
Nosotros/-as	-amos	hablamos	-imos	aprendimos	vivimos
Vosotros/-as	-asteis	hablasteis	-isteis	aprendisteis	vivisteis
Ustedes	-aron	hablaron	-ieron	aprendieron	vivieron
ellos/-as	-aron	hablaron	-ieron	aprendieron	vivieron

In the case of reflexive verbs, *me, te, se, nos, os, se* are always placed before the verb.

Some indefinite verbs are conjugated irregularly.

- Verbs that transform their stem before adding the endings: *-e, -iste, -o, -imos, -isteis, -ieron/-eron.*

  E.g.　　*Yo **anduve** en bicicleta.* (I **rode** a bike.)

- Verbs *ir* and *ser* are conjugated in the same way in the indefinite.

- Some verbs ending in *-er* and *-ir* modify the root vowel, *e → i, o → u*, in the third person singular and plural.

  E.g.　　*Ella se **pidió** un helado.* (She **asked** for an ice cream.)

- Verbs ending in *-ducir* adopt the irregular ending *-uje* in the first person singular and replace the *c* with a *j* in the rest.

  E.g.　　*Yo **conduje** el auto.* (I **drove** the car.)

- Verbs ending in *-er* and *-ir* that contain a vowel at the end of the stem do not add *i* but one *y* in the third person singular and plural.

  E.g.　　*Él se **cayó**.* (He **fell down**.)

- Sometimes it is necessary to change the final consonant of the stem in the first person singular of the verbs ending in *-ar*. This is done to keep the pronunciation of the stem in the infinitive undefined.

  E.g.　　*Ayer **colgué** la ropa y hoy llueve.*
  　　　　(Yesterday, I **hung up** the laundry and today it rains.)

- Verbs ending in *-er* or *-ir* whose root ends in *-ll* or *-ñ* don't add *i* in the third person singular and plural.

  E.g.　　*Bullir > bulló* (not *bullió*)

It is time to practice this unit. Let's do it!

EJERCICIOS I
EXERCISES I

1) Read and listen to the last part of "*¿Qué te gustaría comer?*" and create a different ending for the story.

¿Qué te gustaría comer? (Parte 3)

a) Malena: *Buena idea, sí. Creo que me decidí. Me comería un risotto con hongos.*

b) Santi: *Entiendo tu motivación, pero a veces se siente como que quieren lavarme el cerebro para que sea parte de sus sectas de alimentación perfecta. ¿Qué, acaso nunca se les antoja nada?*

c) Malena: *En mi caso, lo dulce no me tienta tanto como una buena comida. Hoy, por ejemplo, me antojé de una tarta de chocolate vegana, pero no suelo comer ese tipo de postres a menudo.*

d) Santi: *Entiendo, pero ¿por qué tratas de que los demás lleven tu estilo de vida? Me refiero a que cada quien lleva su vida como quiere, ¿o no? Yo no me veo intentando que tú lleves mi estilo de vida.*

e) Malena: *Es que no veo más que beneficios para todos en el veganismo, y si puedo ayudar a que las personas a mi alrededor se den cuenta de las ventajas que tiene, ¿por qué no intentarlo? A ti, por ejemplo, ¿hay algo que no te guste?*

f) Santi: *Sí, el pescado y los mariscos, comidas como ostras, calamares, langostinos... Mi abuela era española. ¡No te imaginas lo que padecía cada vez que cocinaba sus famosas paellas! Mi pobre abuela me perseguía con el plato, y yo me escondía. Sin embargo, no juzgo a quienes aman este tipo de comidas, por eso no te entiendo.*

g) Malena: *Está bien, tienes un punto bastante válido. Ya no te voy a insistir. Pensándolo bien, quizás por eso es que tenemos una imagen negativa entre algunas personas.*

h) Santi: *¡Gracias! No creo que haya alguien en el mundo a quien le guste ser criticado o juzgado por lo que come.*

---

i) **Malena:**	*A ver, vamos entonces con el segundo intento: yo quiero algo apto para celíacos, vegano, con sabor, pero no demasiado pesado. Tú dices que te gusta la pasta. ¿Alguna salsa específica?*
j) **Santi:**	*¡A mí sí! Había pensado en unos espaguetis con salsa carbonara, pero creo que prefiero una lasaña de carne. ¿Estás bien con eso?*
k) **Malena:**	*Ay, tampoco quiero que sientas como que tienes que pedir permiso para ordenar lo que quieres comer. De verdad lo lamento, no es mi intención que te sientas incómodo al respecto. Yo pediré una ensalada y una ración de falafeles. ¡Y nos tomamos una ronda de cócteles preparados por mí después del trabajo!*
l) **Santi:**	*¡Me parece un excelente plan!*
m) **Malena:**	*Y un café con la tarta de chocolate para compartir entre los dos, si te animas a probarla.*
n) **Santi:**	*¡Por supuesto! Sí tengo curiosidad de conocer cómo será su sabor, ya que tiene tantos ingredientes distintos a los postres que yo suelo comer.*
o) **Malena:**	*Gracias por intentarlo... y por poner tus límites amablemente. Muchas veces no nos damos cuenta de que no estamos siendo empáticos, aunque nuestras intenciones son las mejores.*
p) **Santi:**	*Bueno, para eso estamos los amigos, para tratar de decir lo que realmente pensamos de la mejor forma. Y no te preocupes, que sí pienso abrirme un poco a comer más saludable, solo que vamos un paso a la vez.*

2) Write the following text in the past tense.

Brasil tiene una costa larga y variada que abarca gran parte del lado este de América del Sur. El clima en Brasil a lo largo de esta costa varía ligeramente, dependiendo de la distancia desde el ecuador. Sin embargo, las ciudades costeras, como Río de Janeiro, disfrutan de un clima cálido durante todo el año, con ligeras variaciones dependiendo de los vientos alisios más fríos.

_____

_____

_____

_____

_____

_____

_____

_____

3) Write 5 things you did last week.

_____

_____

_____

_____

_____

_____

_____

_____

_____

_____

_____

_____

_____

_____

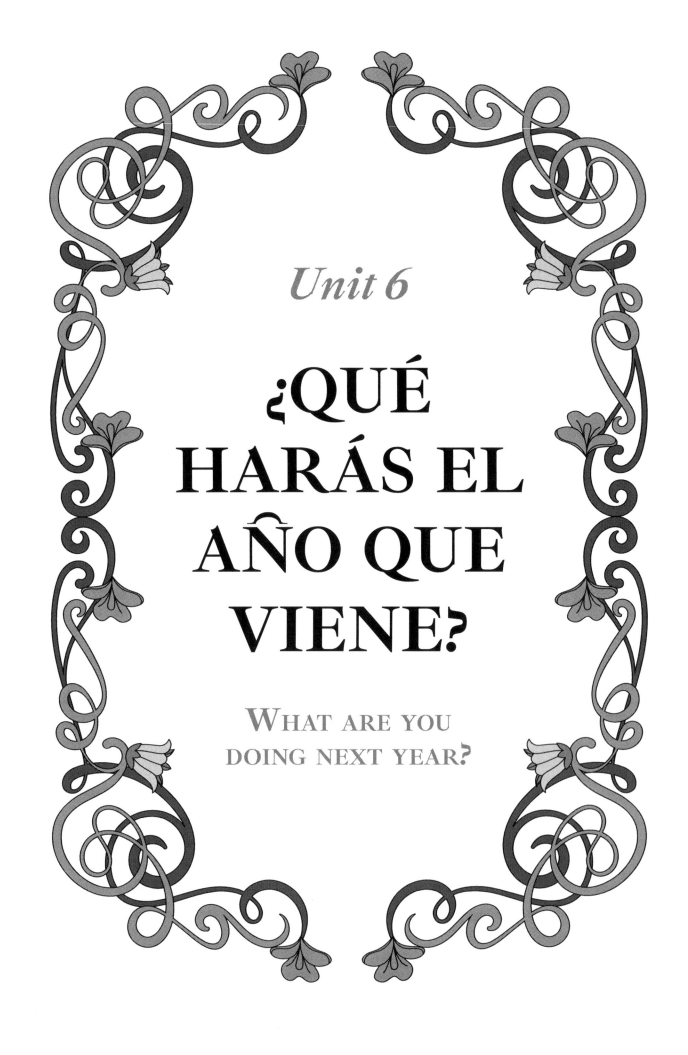

Unit 6

¿QUÉ HARÁS EL AÑO QUE VIENE?

WHAT ARE YOU DOING NEXT YEAR?

And with this chapter, we come to the end of this wonderful linguistic journey. We hope you have enjoyed the trip and that you will be eager to keep learning more and more of this amazing language! Don't forget to take advantage of other audiovisual resources to continually improve your Spanish writing and speaking skills. However, before we say goodbye, we should review the content of this unit. Let's go!

The future simple indicative is used in Spanish to express a coming action, an intention, or a probability. To combine a verb in the future tense, the ending shown below should be added to the infinitive.

The endings are the same for verbs ending in -ar, -er, and -ir.

PRONOUN	ENDING	-AR AMAR (TO LOVE)	-ER VOLVER (TO COME BACK)	-IR SUFRIR (TO SUFFER)
Yo	-é	amaré	volveré	sufriré
Tú	-ás	amarás	volverás	sufrirás
Vos	-ás	amarás	volverás	sufrirás
Usted	-á	amará	volverá	sufrirá
Él Ella	-á	amará	volverá	sufrirá
Nosotros/-as	-emos	amaremos	volveremos	sufriremos
Vosotros/-as	-éis	amaréis	volveréis	sufriréis
Ustedes	-án	amarán	volverán	sufrirán
Ellos Ellas	-án	amarán	volverán	sufrirán

In the case of reflexive verbs, again, the reflexive pronoun (*me, te, se, nos, os*) is always placed before the verb.

E.g. *Ellos **se amarán** por siempre.*
(They **will love** each other forever.)

6.1 IRREGULAR VERBS
LOS VERBOS IRREGULARES

- Verbs that add -*d*

Verbs *poner* (to put), *salir* (to go out), *tener* (to have), *valer* (to cost, to be worth) and *venir* (to come) replace the vowel of the infinitive ending (-*er*, -*ir*) by *d* before adding the future endings -*é, -ás, -á, -emos, -éis, -án.*

PRONOUN	PONER (TO PUT)	SALIR (TO GO OUT)	TENER (TO HAVE)	VALER (TO COST/BE WORTH)	VENIR (TO COME)
Yo	pondré	saldré	tendré	valdré	vendré
Tú	pondrás	saldrás	tendrás	valdrás	vendrás
Vos	pondrás	saldrás	tendrás	valdrás	vendrás
Usted	pondrá	saldrá	tendrá	valdrá	vendrá
Él/Ella	pondrá	saldrá	tendrá	valdrá	vendrá
Nosotros/-as	pondremos	saldremos	tendremos	valdremos	vendremos
Vosotros/-as	pondréis	saldréis	tendréis	valdréis	vendréis
Ustedes	pondrán	saldrán	tendrán	valdrán	vendrán
Ellos/-as	pondrán	saldrán	tendrán	valdrán	vendrán

- Verbs that lose a vowel

The verbs *caber* (to fit), *haber* (to have), *poder* (can) and *saber* (to know) lose the *e* from the infinitive ending (-*er*) before adding the future endings.

PRONOUN	CABER (TO FIT)	HABER* (TO HAVE)	PODER (CAN)	QUERER (TO WANT)	SABER (TO KNOW)
Yo	cabré	habré	podré	querré	sabré
Tú	cabrás	habrás	podrás	querrás	sabrás
Vos	cabrás	habrás	podrás	querrás	sabrás
Usted	cabrá	habrá	podrá	querrá	sabrá
Él/Ella	cabrá	habrá	podrá	querrá	sabrá
Nosotros/-as	cabremos	habremos	podremos	querremos	sabremos
Vosotros/-as	cabréis	habréis	podréis	querréis	sabréis
Ustedes	cabrán	habrán	podrán	querrán	sabrán
Ellos/-as	cabrán	habrán	podrán	querrán	sabrán

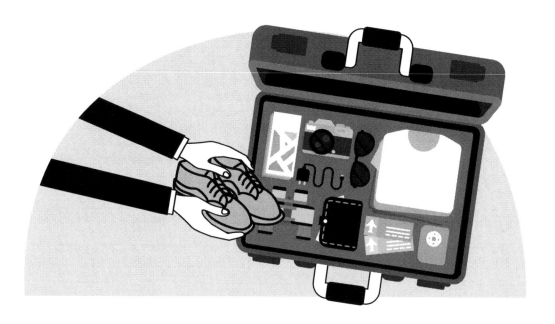

*In the future simple only the 3rd person singular of the verb *haber* is used to form impersonal sentences. The rest of the conjugation is used for the formation of the composite future.

- Verbs with irregular root

    Verbs *decir* (to say) and *hacer* (to do, to make) transform their stem before adding the future endings. This new form of the root works for all pronouns.

PRONOUN	DECIR (TO SAY)	HACER (TO DO/MAKE)
Yo	diré	haré
Tú	dirás	harás
Vos	dirás	harás
Usted	dirá	hará
Él/Ella	dirá	hará
Nosotros/-as	diremos	haremos
Vosotros/-as	diréis	haréis
Ustedes	dirán	harán
Ellos/-as	dirán	harán

Are you ready for some final exercises?

EJERCICIOS I
EXERCISES I

1) Listen and read the text, and complete with the missing words.

El chileno Rodolfo Guzmán _____ en estufas y se caracteriza por una cocina

endémica, menús de dos temporadas y una técnica artesanal para _____

y cocinar sobre rocas volcánicas, ahumadas con diferentes tipos de hornos de leña y barro.

En 2011 su restaurante _____ catalogado como uno de los mejores sesenta

restaurantes del mundo, y en 2015 _____ quinto entre los 50 mejores de

América Latina. Aunque Chile no _____ una de las mayores potencias culinarias

de la región, el interés de Guzmán por _____ la biodiversidad chilena lo ha

ayudado a utilizar en su cocina desde hongos nativos del sur del país hasta hierbas que

_____ en los Andes. El próximo año Rodolfo _____ en un proyecto

para darle de comer a gente de escasos recursos de su país.

2) Listen to the song "Hasta que me olvides" by Luis Miguel on your favorite platform and fill in the gaps*

Hasta que me olvides, _____

No habrá quién me seque tus labios por dentro y por fuera

No _____ quién desnude mi nombre una tarde cualquiera

Hasta que me olvides tanto que

No exista mañana ni después, no, no

Hasta que me olvides, voy a intentarlo

No habrá quién desnude mi boca como tu sonrisa

Y _____ como lágrima entre la llovizna

Hasta que me olvides tanto que

No exista mañana ni después

Hasta que me olvides

_____*tanto, tanto*

Como fuego entre tus brazos

Hasta que me olvides

Hasta que me olvides

Y me rompa en mil pedazos

Continuar mi gran teatro

Hasta que me olvides

Hasta que me olvides

Y _____tu sueño en la almohada

Llenar poco a poco el silencio con tu abecedario

Para cuando calle por dentro tenerte a mi lado

Hasta que me olvides tanto que

No exista mañana ni después

Hasta que me olvides

Voy a amarte tanto, tanto

Como fuego entre tus brazos

Hasta que me olvides

Hasta que me olvides

Y me rompa en mil pedazos

Continuar mi gran teatro

Hasta que me olvides

Hasta que me olvides, oah eeh

_____copiando

Tu cuerpo sobre la pared

Y voy a colgar en tu pecho

La noche y el amanecer

Hasta que me olvides

Voy a amarte tanto, tanto

Como fuego entre tus brazos

Hasta que me olvides

Hasta que me olvides

Y me rompa en mil pedazos

Continuar mi gran teatro

Hasta que me olvides

Hasta que me olvides, uuh

FINAL THOUGHTS

As the fourth most spoken language in the United States and the world, Spanish is a language that many people want to master. If you manage to do so, your resume will undoubtedly be more attractive and future employers will look at you with different eyes. In fact, you will be more competitive in the workplace if you are multilingual.

In addition to learning about the Hispanic culture, you will be able to communicate with Spanish speakers freely and without language barriers. By learning Spanish, you will also be able to travel and get to know the Iberian Peninsula and all of Latin America using the vocabulary you have acquired.

Psychology says that the human brain tends to forget things as we get older. Learning a foreign language means that you are sharpening your memorization skills, as well as giving rise to new knowledge that will help you trade in uncovered innovative ideas.

Spanish is one of the most widely spoken languages in the world, with millions of speakers. Therefore, it increases your chances of getting jobs in every corner of the world and communicating with people from other cultures. In short, learning Spanish opens your mind, gives you more opportunities, and sharpens your intelligence. Learning a new language, as cliché as it may sound, builds better character.

And why does this happen? Well, because it allows you to see the uniqueness of other cultures, and you can see that perfectly once you learn their native language. One of the most significant advantages of learning Spanish is that you will have access to an unparalleled world and you will be able to have different experiences from the native's point of view. Watching movies, listening to music, and reading books in the original language are more entertaining than watching them with subtitles.

Keep exercising and looking for different ways to practice Spanish and see you in the next chapter!

Thank you!

★★★

Al ser la cuarta lengua más importante de Estados Unidos, y del mundo, el español es un idioma que muchos desean dominar. Si logras hacerlo, tu currículum sin duda será más atractivo, y los futuros empleadores te mirarán con otros ojos. De hecho, serás más competitivo en el trabajo si eres multilingüe.

Además de conocer de cerca la cultura hispana, estarás dispuesto a comunicarte con los hispanohablantes libremente y sin barreras lingüísticas. Aprendiendo español también podrás viajar, conocer la península ibérica y toda Latinoamérica usando el vocabulario que has adquirido.

Según la psicología, el cerebro humano tiende a olvidar cosas a medida que envejecemos. Aprender un idioma extranjero significa que estás agudizando tu capacidad de memorización, además de dar lugar a nuevos conocimientos que te ayudarán a negociar con ideas innovadoras no cubiertas.

El español es uno de los idiomas más hablados del mundo, con millones de hablantes. Por lo tanto, dominarlo aumenta las posibilidades de conseguir empleo en todos los rincones del mundo y de comunicarte con personas de otras culturas. En pocas palabras, aprender español te abre la mente, te da más oportunidades y agudiza tu inteligencia. Aprendiendo un nuevo idioma, por muy cliché que suene, se forja un mejor carácter.

¿Y por qué sucede esto? Pues porque te permite ver la singularidad de otras culturas, y eso se vive perfectamente una vez que aprendes su lengua materna. Una de las ventajas más significativas de aprender español es que tendrás acceso a un mundo inigualable y podrás tener experiencias diferentes desde la mirada de los nativos. Ver películas, escuchar música, leer libros en el idioma original... es más entretenido que hacerlo con subtítulos.

Sigue ejercitando y buscando diferentes formas de practicar el español, ¡y nos vemos en el siguiente capítulo!

¡Gracias!

ANSWER KEY

UNIT 1

3)

a) CASA

b) PARAGUAS

c) CANCIÓN

d) TORMENTA

e) MESA

f) NACIONALIDAD

g) HOSPITAL

h) AMIGOS

i) ESTUDIAR

j) CUADERNO

1)

a) CIUDAD

b) HABITACIÓN

c) ESCUELA

d) PAÍS

e) SILLA

f) DECISIÓN

g) MANZANA

h) MELÓN

i) CAMIÓN

j) ÁRBOL

2)

a) Él tiene dos hermanas.

b) Ellos son primos.

c) Ellos juegan al fútbol.

d) Él tiene sueño.

e) Nosotras/-os tenemos hambre.

f) Ellas hablan mucho.

g) Él es alto.

h) Él ladra todo el día.

i) Ustedes son estudiosos.

j) Ellos se van de vacaciones.

3)

a) El avión

b) Los gatos

c) Los estudiantes

d) El lápiz

e) Las maestras

f) Las bananas

g) El libro

h) El tren

i) El águila

j) El agua

Ejercicios III – Exercises III

1)

a) 27: veintisiete

b) 29: veintinueve

c) 8: ocho

d) 3: tres

e) 13: trece

f) 15: quince

g) 17: diecisiete

h) 34: treinta y cuatro

i) 95: noventa y cinco

j) 100: cien

2)

a) El primero

b) El segundo

c) El tercero

d) El cuarto

e) El último

Ejercicios IV – Exercises IV

1)

Lunes

Martes

Miércoles

Jueves

Viernes

Sábado

Domingo

2)

a) 25/11/1975: veinticinco de noviembre de mil novecientos setenta y cinco

b) 13/1/1842: trece de enero de mil ochocientos cuarenta y dos

c) 9/3/1999: nueve de marzo de mil novecientos noventa y nueve

d) 31/12/2000: treinta y uno de diciembre de dos mil

3)

a) 14:55 – catorce y cincuenta y cinco / dos y cincuenta y cinco

b) 3:00 – tres en punto

c) 01:15 – una y cuarto / una y quince

d) 5:30 – cinco y media / cinco y treinta

e) 4:45 – cuatro y cuarenta y cinco / cinco menos cuarto

UNIT 2

1)

a) Estás   e) Son

b) Soy   f) Eres

c) Eres   g) Ser

d) Somos

3)

a) Morticia   f) Su hijo

b) Addams   g) No

c) Blanca   h) Ninguno

d) Pizza   i) Negro

e) Grande   j) De Estados Unidos

Ejercicios II – Exercises II

3)

a) 7 a. m.   f) 4 p. m.

b) Taza de café   g) Baile

c) Escuela   h) Antonio

d) Música   i) 9 p. m.

e) Adoran   j) Televisión

4)

	INDICAR	REALIZAR	COMENZAR	CASTIGAR
Yo	indico	realizo	comienzo	castigo
Tú	indicas	realizas	comienzas	castigas
Vos	indicás	realizás	comenzás	castigás
Usted	indica	realiza	comienza	castiga
Él/Ella	indica	realiza	comienza	castiga
Nosotros/-as	indicamos	realizamos	comenzamos	castigamos
Vosotros/-as	indicáis	realizáis	comenzáis	castigáis
Ustedes	indican	realizan	comienzan	castigan
Ellos/Ellas	indican	realizan	comienzan	castigan

	MARCAR	CAMBIAR	ENCONTRAR	ATRAPAR
Yo	marco	cambio	encuentro	atrapo
Tú	marcas	cambias	encuentras	atrapas
Vos	marcás	cambiás	encontrás	atrapás
Usted	marca	cambia	encuentra	atrapa
Él/Ella	marca	cambia	encuentra	atrapa
Nosotros/-as	marcamos	cambiamos	encontramos	atrapamos
Vosotros/-as	marcáis	cambiáis	encontráis	atrapáis
Ustedes	marcan	cambian	encuentran	atrapan
Ellos/Ellas	marcan	cambian	encuentran	atrapan

Ejercicios III – Exercises III

1)

a) ¿Cuáles son sus nombres?

b) ¿Quién es Emilio (para ti)?/¿Quién es tu único amor?

c) ¿Son parecidos/iguales o diferentes?

d) ¿Cuáles son sus prioridades?

e) ¿De dónde eres/son?

f) ¿Cómo era tu madre?

g) ¿Cuántos años tiene tu madre?

Ejercicios IV – Exercises IV

2)

a) Algunos famosos **no** aprovecharon las oportunidades del destino.

b) No regresó a casa para interpretar papeles en telenovelas de su país.

c) Ricky Martin **no** trabajó haciendo comerciales.

d) No tuvo una infancia difícil.

e) Su padre **no** los abandonó.

f) No tiene ascendencia latina.

g) En ese entonces **no** tenía otros planes.

3)

a) Buscar

b) Ayudar

c) Tenemos

d) Cuando

e) Nada

f) Tienes

g) Haitianos

h) Latinos

i) Hermano

j) Rescatar

UNIT 3

1)

a) La población era de aproximadamente dos millones y medio de personas.

b) Alojamiento, ropa y comida.

c) Los arqueólogos.

d) 20 000 personas.

e) Rápidamente.

2)

Adjectives are in bold type:

suministro **ininterrumpido**

pirámides **posteriores**

dos pirámides

primeros egipcios

grandes estructuras

3)

a) El concierto fue todo un éxito y las bandas tocaron dos días de forma **ininterrumpida**.

b) Hay **dos** torres enormes en la ciudad.

c) Las clases **posteriores** al curso enseñan otros temas.

d) No es muy **alentadora** la situación económica.

e) Las **grandes** ciudades tienen mucho movimiento.

Ejercicios II – Exercises II

1)

a) Una de las Siete Maravillas del Mundo Antiguo.

b) De piedra.

c) Algunos historiadores y arqueólogos.

d) El rey Nabucodonosor II.

e) La esposa del rey.

2)

de – a – sobre – por – en – para

3)

a) La supuesta diosa de la fertilidad.

b) Asia.

c) "Reina del Cielo", "Salvadora" y "Diosa Madre".

d) En el mayor banco del mundo.

e) Con música, bailes, cantos, representaciones teatrales y cánticos de lealtad.

4)

del

Ejercicios III – Exercises III

1)

a) T **c)** T **e)** F

b) T **d)** F

2)

ADJ: imponente - derecha - coronado - preciosas - tradicional

ADV: tranquilamente - antiguamente - fielmente - sabiamente - hoy

3)

a) Casi 1800 años. **d)** De piedra.

b) En el siglo XV. **e)** La base.

c) En el siglo XIII.

4)

PRONOUN	SOBREVIVIR	RECONOCER
Yo	sobrevivo	reconozco
Tú	sobrevives	reconoces
Vos	sobrevivís	reconocés
Usted	sobrevive	reconoce
Él/Ella	sobrevive	reconoce
Nosotros/-as	sobrevivimos	reconocemos
Vosotros/-as	sobrevivís	reconocéis
Ustedes	sobreviven	reconocen
Ellos/Ellas	sobreviven	reconocen

6)

a) Faro de Alejandría.

b) Faro de Alejandría.

c) Coloso de Rodas.

d) Coloso de Rodas.

e) Faro de Alejandría.

f) Coloso de Rodas.

g) Faro de Alejandría.

h) Coloso de Rodas.

i) Coloso de Rodas.

j) Coloso de Rodas.

7)

a) estatua: N

b) antiguo: ADJ

c) gigantesca: ADJ

d) en: P

e) para: P

f) del: C

g) representaba: V

h) sus: ADJ

i) por: P

j) pronto: ADV

k) abajo: ADV

l) zona: N

m) ciudad: N

n) parte: N

o) exploración: N

p) oriental: ADJ

q) captar: V

r) gigantes: ADJ

s) columnas: N

t) muchas: ADV

u) futuros: ADJ

v) sumergidas: ADJ

8)

a) bella

b) próximo

c) no

d) rápidamente

e) para

f) del

g) comer

h) ir

i) de

j) cuánta

9)

a) La Gran Pirámide de Guiza.

b) Banco.

c) La Estatua de Zeus en Olimpia.

d) Jardines Colgantes de Babilonia.

e) Turquía.

UNIT 4

1)

a) Malena

b) Es hora de comer

c) Porque han estado todo el día encerrados

d) Algo más consistente (una pasta a la carbonara)

e) Ítalo-española

f) Malena

g) Pasta

h) Invierno

i) Sí

j) A Malena

2)

a) Me

b) Me

c) Me

d) Nos

e) Me

f) Me

g) Nos

h) Nos

i) Me

j) Me

k) Me

l) Me

m) Me

n) Me

o) Me

p) Me

3) Answers may vary.

a) sirven – servir – servirse

b) volvamos – volver – volverme

c) olvidemos – olvidar – olvidarte

d) especializo – especializar – especializarte

e) decidido – decidir – decidirse

f) provoca – provocar – provocarnos

g) organizarnos – organizar – organizaros

h) cocino – cocinar – cocinarme

i) cuido – cuidar – cuidarme

j) siento – sentir – sentirnos

k) conformaré – conformar – conformarme

4)

a) Ella **no** se cocina todos los mediodías.

b) Nosotros **no** nos bañamos en la mañana.

c) Federico **no** se peina.

d) Ustedes **no** se llevan muy bien.

e) Tú **no** te vistes mal.

Ejercicios II – Exercises II

1)

a) Sí. Lo expresa con la frase "Qué lindo lugar".

b) Porque ambos tienen dietas diferentes y en ese restaurante hay algo para todos los gustos.

c) Le preocupaba la limpieza del lugar.

2) Answers may vary.

a) Me encantan

b) Me gusta mucho

c) Me agrada

d) Amo

e) No me gusta

f) Odio

g) Disfruto

h) Amo

i) Adorabas

j) Quiero

3)

a) 3   **d)** 4   **g)** 9

b) 8   **e)** 5   **h)** 1

c) 6   **f)** 2   **i)** 7

Ejercicios III – Exercises III

1)

Comienza esta receta realizando el caramelo del pastel.

No comiences esta receta realizando el caramelo del pastel.

Coloca el azúcar en una olla.

No coloques el azúcar en una olla.

Agrega el zumo de 1 limón.

No agregues el zumo de 1 limón.

Agrega agua.

No agregues agua.

Pon al fuego hasta que el color de la mezcla aclare.

No pongas al fuego hasta que el color de la mezcla aclare.

Ten cuidado de que no se oscurezca demasiado.

No tengas cuidado de que no se oscurezca demasiado.

Utiliza ese caramelo para bañar la base.

No utilices ese caramelo para bañar la base.

Pela las manzanas.

No peles las manzanas.

Córtalas por el medio.

No las cortes por el medio.

Retira los corazones de las manzanas.
No retires los corazones de las manzanas.

Colócalas unos minutos en agua con limón.
No las coloques unos minutos en agua con limón.

Corta las manzanas en láminas.
No cortes las manzanas en láminas.

Resérvalo.
No lo reserves.

Bate los 4 huevos.
No batas los 4 huevos.

Añade la esencia de vainilla.
No añadas la esencia de vainilla.

Mezcla nuevamente para integrar todo.
No mezcles nuevamente para integrar todo.

Incorpora los 300 gramos de harina leudante.
No incorpores los 300 gramos de harina leudante.

Hazlo poco a poco.
No lo hagas poco a poco.

Bate hasta conseguir una mezcla homogénea.
No batas hasta conseguir una mezcla homogénea.

Vierte esta mezcla en el molde reservado previamente.
No viertas esta mezcla en el molde reservado previamente.

Lleva la preparación a un horno moderado.
No lleves la preparación a un horno moderado.

Abre un poco la puerta.
No abras un poco la puerta.

Pincha la masa con un palillo de madera.
No pinches la masa con un palillo de madera.

Deja el pastel enfriar.
No dejes el pastel enfriar.

Toma un plato.
No tomes un plato.

Ponlo boca abajo.
No lo pongas boca abajo.

Gira firmemente el molde boca abajo.
No gires firmemente el molde boca abajo.

Golpea suavemente el plato en la mesa.
No golpees suavemente el plato en la mesa.

Decóralo con el caramelo líquido que preparaste al principio.
No lo decores con el caramelo líquido que preparaste al principio.

2) Answers may vary.
a) Aféitense bien
b) Bañaos más tarde
c) Duérmete luego
d) Duchémonos juntos
e) Lávense las manos
f) Levántate a las 10
g) Secaos los pies
g) Sentémonos aquí
i) Vestite elegante

3)
siempre
nunca
de vez en cuando
nunca
a veces
todos los días

UNIT 5

Ejercicios I – Exercises I

2)

Brasil tenía una costa larga y variada que abarcaba gran parte del lado este de América del Sur. El clima en Brasil a lo largo de esta costa variaba ligeramente, dependiendo de la distancia desde el ecuador. Sin embargo, las ciudades costeras, como Río de Janeiro, disfrutaban de un clima cálido durante todo el año, con ligeras variaciones dependiendo de los vientos alisios más fríos.

UNIT 6

Ejercicios I – Exercises I

1)

El chileno Rodolfo Guzmán **trabaja** en estufas y se caracteriza por una cocina endémica, menús de dos temporadas y una técnica artesanal para **servir** y cocinar sobre rocas volcánicas, ahumadas con diferentes tipos de hornos de leña y barro. En 2011 su restaurante **fue** catalogado como uno de los mejores sesenta restaurantes del mundo, y en 2015 **quedó** quinto entre los 50 mejores de América Latina. Aunque Chile no **es** una de las mayores potencias culinarias de la región, el interés de Guzmán por **explorar** la biodiversidad chilena lo ha ayudado a utilizar en su cocina desde hongos nativos del sur del país hasta hierbas que **crecen** en los Andes. El próximo año Rodolfo **trabajará** en un proyecto para darle de comer a gente de escasos recursos de su país.

2)

voy a intentarlo
habrá
voy a rodar
voy a amarte
voy a bordar
voy a continuar

EXTRA READING

 Read and listen about cultural aspects from different countries:

- ## Honduras

Punta es la música tradicional más conocida en Honduras. Es la música garífuna más común en Centroamérica. Es conocida por su patrón en el tambor y el canto, así como por su ritmo emocionante. Los hondureños disfrutan de los instrumentos tradicionales que componen este tipo de música. Algunos instrumentos que forman parte de este estilo musical son los tambores, maracas y claves. Se trata de un sonido enérgico y se escucha mucho en las celebraciones de cumpleaños, comidas al aire libre o días festivos, pero también se puede escuchar en las calles sin que se trate de un día especial. Para los hondureños, punta es simplemente una forma de expresarse. Esta música tradicional ha viajado a muchas partes de Centroamérica; sin embargo, se le relaciona directamente con Honduras.

El baile lleva a la gente a disfrutar al sonido de los complejos ritmos de los tambores. Es un baile tan emocionante que lo pueden disfrutar personas de todas las edades. Puede ser difícil tocar o bailar este tipo de música, ya que se trata de sonidos únicos, pero no es demasiado complicado porque el ritmo contagia y permite que el cuerpo se exprese con autonomía. El baile consiste en un movimiento de las caderas, pero también están incluidas todas las partes del cuerpo, incluso los dedos de los pies.

- ## Uruguay

Todo el mundo debería probar un chivito mientras esté en Uruguay, ya que se inventó allí. Aunque su nombre significa "cabrito", en realidad no está hecho de carne de cabra. Consiste en un sándwich de ternera con muchos ingredientes diferentes, entre los que generalmente se incluyen: un huevo frito, lechuga, tomate, jamón, mozzarella, tocino, aceitunas, pimiento morrón y mayonesa. Y ningún chivito está completo sin una gran ración de papas fritas. El chivito es tan omnipresente como las hamburguesas en los Estados Unidos, todos los restaurantes lo sirven de una forma u otra. La mayoría ofrece al menos dos o tres versiones diferentes, con un grado variable de ingredientes. A veces están disponibles con pollo, en lugar de carne de res.

- ## México

La Virgen de Guadalupe es considerada la santa patrona de México. Todos los años se realizan peregrinaciones desde principios de diciembre hasta el día 12 en honor a la Virgen de Guadalupe. La gente viaja no solo a la catedral principal, construida en su honor, sino a cualquier iglesia o templo dedicado a ella. También hay miles de pueblos con nombres de santos, como San Juan, y cada uno alberga una celebración anual con peregrinaciones para su patrón. Si bien las personas asisten a estas celebraciones por su cuenta, la mayoría de las veces, las familias tratan de asistir juntas.

· Perú

Se cree que Machu Picchu fue construido por Pachacuti Inca Yupanqui, el noveno gobernante de los incas, a mediados del siglo XV. Este personaje dio lugar a varias conquistas que abarcaron desde Ecuador hasta Chile.

Muchos arqueólogos creen que Machu Picchu fue construido como una especie de propiedad real, la presencia de residencias de élite en el sector noreste del sitio respalda esa idea. Habría sido utilizado por el emperador y su familia como un lugar de descanso temporal, el sitio albergaría a un pequeño número de cuidadores durante todo el año.

· Cuba

Los automóviles estadounidenses se importaron a Cuba durante aproximadamente 50 años, comenzando cerca de principios del siglo XX. Después de la Revolución cubana se estableció el embargo estadounidense, y Castro prohibió la importación de automóviles y piezas mecánicas de este país. Por eso Cuba es como es hoy, esencialmente un museo viviente de autos clásicos. Los viejos autos estadounidenses a menudo se mantienen funcionando con partes y piezas que nunca fueron diseñadas para ellos. No es raro encontrar un hermoso Chevy de los años 50 con un motor ruso, algo que se consideraría un sacrilegio para los coleccionistas de autos serios.

· Chile

El 5 de agosto de 2010, justo después del almuerzo, parte de la mina de cobre San José en el norte de Chile se derrumbó bajo tierra, convirtiendo a los 33 hombres que allí trabajaban, de entre 19 y 63 años en ese momento, en prisioneros. Se necesitaron 17 días para encontrarlos con vida a 600 metros (casi 2000 pies) bajo tierra, en el fondo de la mina centenaria. Luego, pasaron otros 52 días más antes de que los llevaran a un lugar seguro a través de un agujero estrecho mientras el mundo miraba por televisión.

· Bolivia

El Museo de Textiles Andinos Bolivianos es un museo que tiene una gran colección de textiles, artesanías y prendas de vestir para hombres y mujeres de todas las regiones de Bolivia, y esto ayuda a los turistas a comprender la prosperidad, vida e historia de este vibrante país. Está ubicado en una encantadora vivienda en Miraflores. Algunas personas creen que es una visita obligada para los amantes del bordado. Tienen una tienda de regalos, donde se pueden comprar cosas, como joyas y artesanías, y muchos estilos de vestidos coloridos.

- **España**

Situada en el suroeste de Europa, España es una tierra de castillos de piedra, vastos monumentos y ciudades modernas, con una larga historia influenciada por las culturas castellana, catalana, vasca, romana y árabe, ¡por nombrar solo algunas! Situada en la península ibérica, España comparte su frontera con Portugal, otro destino popular en el extranjero. Rodeada por el océano Atlántico al oeste y el mar Mediterráneo al este, España es un paraíso para todo el mundo.

DICTIONARY

NOUNS	
abuela	grandmother
abuelo	grandfather
agua	water
agujeta	lace
aluminio	aluminum
angustia	anguish
anillo	ring
anteojos	glasses
árbol	tree
auriculares	headphones
auto	car
ave	bird
bala	bullet
barco	boat
bolígrafo	pen
bomba	bomb
botella	bottle
buzo	diver
café	coffee
calor	heat
cama	bed
camisa	shirt
candado	lock
candidato	candidate
caramelo	candy
carne	meat
carta	card/letter
casa	house

castillo	castle
catre	cot
celular/móvil	mobile
césped	grass
chaqueta/chamarra	jacket
chocolate	chocolate
chupetín/paleta	lollipop
cinturón	belt
codo	elbow
cohete	rocket
computadora	computer
corbata	tie
crema	cream
cuaderno	notebook
cuadro	painting
cuchillo	knife
debate	debate
departamento	department
deporte	sport
desodorante	deodorant
diarios	diaries
diente	tooth
diputado	deputy
discurso	speech
edificio	building
embarcación	ship
enano	dwarf
ensalada	salad
escuela	school

estadística	statistics	maletín	briefcase
estrella	star	mano	hand
explosión	explosion	mapa	map
felicidad	happiness	martillo	hammer
fiesta	party	mensaje	message
filete	steak	metal	metal
flor	flower	monitor	monitor
fotografía	photography	mono	monkey
gobierno	government	montaña	moutain
granizo	hail	muela	tooth
guantes	gloves	música	music
guitarra	guitar	nieve	snow
habitación	bedroom/room	nube	cloud
herramienta	tool	oficina	office
hierro	iron	ojo	eye
hipopótamo	hippo	palo	stick
hojas	sheets/leaves	pantalla	screen
hombre	man	pantalones	pants
humedad	humidity	papá	dad
impresora	printer	pared	wall
lámpara	lamp	parlante	speaker
lápiz	pencil	partido	match
lentejas	lentils	pelo	hair
lente	lens	percha	hanger
librería	bookshop	periódico	newspaper
libro	book	perro	dog
limón	lemon	persiana	blind/shutter
llave	key	persona	person
lluvia	rain	pestaña	tab/eyelash
luz	light	petróleo	oil
madera	wood	piso	floor

pistola	gun	tío	uncle
planeta	planet	tornillo	screw
planta	plant	tristeza	sadness
plato	dish	universidad	college
pradera	meadow	velero	sailboat
presidencia	presidency	ventana	window
proyector	projector	zapato	shoe
puerta	door	zoológico	zoo
radio	radio	**ADJECTIVES**	
recipiente	container	abierto	open
refugio	shelter	afilado	sharp
reloj	clock	agotado	exhausted
rey	king	agrio	sour
rúcula	arugula	ajustado	tight
rueda	wheel	alto	high/tall
ruido	noise	ancho	wide
satélite	satellite	áspero	rough
servilleta	napkin	atractivo	attractive
silla	chair	barato	cheap
sillón	armchair	brillante	bright
sofá	sofa	bueno	good
sol	sun	caliente	hot
sonido	sound	cansado	tired
taladro	drill	cerrado	closed
teatro	theater	claro	clear
tecla	key	contrario	opposite
teclado	keyboard	corto	short
teléfono	telephone	cruel	cruel
televisión	TV	débil	weak
templo	temple	delgado	slim/thin
tenedor	fork		

delicado	delicate		largo	long
derecha	right		lejano	far
desordenado	messy		libre	free
despierto	awake		ligero	light
diferente	different		limpio	clean
dormido	asleep		llano	flat/plain
dulce	sweet		lleno	full
duro	hard		malo	bad
empinado	steep		natural	natural
enfadado	angry		necesario	necessary
enfermo	sick		nuevo	new
enorme	enormous		paralelo	parallel
erróneo	wrong		pegajoso	sticky
especial	special		pesado	heavy
estrecho	narrow		picante	spicy
estupendo	great		pobre	poor
extraño	strange		precioso	precious
feliz	happy		preparado	prepared
feo	ugly		privado	private
fino	fine		profundo	deep
fresco	cool/fresh		rápido	fast
frío	cold		recto	straight/right
fuerte	strong		repentino	sudden
generoso	generous		rico	rich
gordo	fat		ruidoso	noisy
grueso	thick		sabio	wise
hambriento	hungry		saludable	healthy
hermoso	beautiful		seco	dry
húmedo	moist		seguro	sure/safe
izquierda	left		serio	serious
joven	young		simple	simple

sólido	solid		donde	where
suave	soft		exacto	exactly
sucio	dirty		fácilmente	easily
tacaño	stingy		hoy	today
temprano	early		jamás	never
tonto	fool		lejos	far
tranquilo	calm/quiet		luego	after
triste	sad		mañana	tomorrow
viejo	old		nada	nothing
violento	violent		no	not
falso	fake/false		nunca	never
verdadero	true		ojalá	hopefully

ADVERBS			poco	little
absolutamente	absolutely		por qué	why
allí	there		probablemente	probably
antes	before		pronto	soon
aquí	here		quizás	maybe
arriba	above		regularmente	regularly
así	thus		sí	yes
ayer	yesterday		también	also/too

			ARTICLES	
bastante	quite		el	the
bien	well		la	the
cerca	close		las	the
cierto	certain/true		lo	it
claramente	clearly		los	the
cómo	how		un	a/an
cuando	when		una	a/an
cuánto	how much		unas	some
demasiado	too		unos	some
deprisa	quickly			
detrás	behind			

VERBS	
abrir	to open
agarrar/coger	to grab
andar	to walk
beber	to drink
buscar	to search
caer	to fall down
caminar	to walk
cerrar	to close
comenzar	to begin
comer	to eat
comprar	to buy
conducir	to drive
conocer	to know
dar	to give
decir	to say
dormir	to sleep
encontrar	to find
entender	to understand
escribir	to write
escuchar	to listen
estar	to be
hablar	to speak
hacer	to do/to make
ir	to go
jugar	to play
leer	to read
llegar	to arrive
mirar	to look
necesitar	to need
oír	to hear

pagar	to pay
pedir	to ask
pensar	to think
perder	to lose
poder	can
poner	to put
querer	to want
saber	to know
salir	to go out
saltar	to jump
sentarse	to sit down
sentir	to feel
ser	to be
tener	to have
tocar	to play
tomar	to take
trabajar	to work
traer	to bring
ver	to watch
vivir	to live

PRONOUNS	
él	he
ella	she
ello/eso	it
ellos/ellas	they
lo	it
mí	me
nos	us
nosotros/nosotras	we
os	you

su	her/his/its/their/your
ti	you
tu	your
tú/vos	you
usted	you
ustedes	you
vosotros/vosotras	you
yo	I

PREPOSITIONS	
a	to
ante	before
bajo	under
cerca	close to
con	with
contra	against
de	from
desde	since
durante	during
en	in/on/at
entre	between
hacia	toward
hasta	until
para	in order to
por	for
según	according to
sin	without
sobre	on/about
tras	after

CONJUNCTIONS	
a	to
a menos que	unless

así como	as well as
aunque	although
bien	well
con tal que	provided
conque	so then
cuando	when
dado que	given that
en cuanto	as soon as
igual que	like
más	more
más que	more than
menos que	less than
mientras	while
o	or
para que	so
pero	but
por lo tanto	thus
por más de	by more than
porque	because
pues	well
puesto que	since
que	that
salvo	except
si	if
si bien	although
siempre que	as long as
sino	otherwise/but
siquiera	even
tanto como	as much as
y	and
ya	already

ya que	since

FAMILY	
abuela	grandmother
abuelo	grandfather
abuelos	grandparents
bisnieta	great-granddaughter
bisnieto	great-grandson
cuñada	sister-in-law
cuñado	brother-in-law
esposa	wife
esposo	husband
hemanastro	stepbrother
hermana	sister
hermanastra	stepsister
hermano	brother
hermanos	siblings
hija	daughter
hijo	son
madrastra	stepmother
madre	mother
medio hermana	half-sister
medio hermano	half-brother
nieta	granddaughter
nieto	grandson
nuera	daughter-in-law
padrastro	stepfather
padre	father
padres	parents
primo/prima	cousin
sobrina	niece
sobrino	nephew

suegra	mother-in-law
suegro	father-in-law
tatarabuela	great-great-grandmother
tatarabuelo	great-great-grandfather
tía	aunt
tío	uncle
yerno	son-in-law

THE CITY	
aceras	sidewalk
afueras	outskirts
agencia de viajes	travel agency
agente de policía	policeman
alcantarillas	sewers
árboles	trees
aseos públicos	public toilets
asilo de ancianos	nursing home
autobús	bus
avenida	avenue
ayuntamiento	town hall
banco	bank
bar	bar
barrio	neighborhood
barrio bajo	slum
basura	trash
biblioteca	library
bicicleta	bicycle
bolsa de valores	stock market/exchange
buzón de correos	mail box

cabina telefónica	phone booth	fuente	fountain
calle	street	galería	gallery
calle principal	main street	tienda por departamentos	department store
callejón	alley	habitante	inhabitant
calzada	driveway	hospital	hospital
camión	truck	hotel	hotel
cárcel	prison	iglesia	church
carretera	road	jardines	gardens
casa	house	kiosco	kiosk
castillo	castle	letreros luminosos	neon signs
catedral	cathedral	local	local
cementerio	cemetery	mercado	market
centro comercial	shopping mall	metro	subway
centro de la ciudad	downtown	monumento	monument
cine	cinema	motocicleta	motorcycle
circo	circus	museo	museum
ciudad	city	obra	construction site
ciudadano	citizen	oficina de información	information office
club nocturno	night club	oficina de turismo	tourist office
comisaría	police station	orfanato	orphanage
consulado	consulate	palacio	palace
correos y telégrafos	post and telegraph office	parque	park
cruce peatonal	crosswalk	pasaje	passage/ticket
edificios	buildings	paseo	promenade
escuela	school	peatón	pedestrian
estación de bomberos	fire station	peluquería	hairdressing salon
estatua	statue	pensión	boarding house/ pension
farmacia	drugstore	plaza	square
faroles	street lamps		

plaza de toros	bullring	con copia oculta	with hidden copy
puente	bridge	correo no deseado	spam
puerto	port	descargar	to download
quiosco de periódicos	newspaper stand	destinatario	recipient
rascacielos	skyscraper	dirección de correo electrónico	email address
residencial	residential	etiquetar	to label/to tag
restaurante	restaurant	favorito	favorite
semáforo	traffic lights	iniciar sesión	log in
servicios de urgencia	emergency services	redes sociales	social media
taxi	taxi	motor de búsqueda	search engine
teléfonos	telephones	navegador	browser
tienda	shop/store	opciones de privacidad	privacy options
tráfico	traffic	página principal	homepage
transeúnte	passer-by	papelera	trash
turista	tourist	postear en el muro	post on the wall
universidad	university	punto	dot
vagabundo	homeless	red social	social network
vecindario	neighborhood	redactar	to write
zoológico	zoo	reenviar	forward
THE INTERNET		registrarse	to sign up
actualización	update	remitente	sender
adjuntar	to attach	responder	to reply
arrastrar y soltar	to drag and drop	sitio web	website
arroba	at sign	solicitud de amistad	friend request
asunto	subject	tuitear	to tweet
bandeja de entrada	inbox	**LEISURE ACTIVITIES**	
bandeja de salida	outbox	adivinanza	riddle
cerrar sesión	sign off/log out	afición	hobby
compartir	to share	ajedrez	chess
con copia	with copy		

salir con amigos	socializing
baile	dance
baile de disfraces	fancy dress ball
bar	pub
billar	billiards
bolos	bowling
conversación	conversation
crucigrama	crossword
dados	dice
damas	checkers
dardos	darts
deportes	sports
descansar	to rest
discoteca	disco
filatelia	stamp collecting
gimnasio	gym
fiesta	party
jardinería	gardening
juegos	games
juegos de cartas	card games
jugador/a	player
juguete	toy
lotería	bingo/lottery
mirar tele	to watch TV
ping-pong	table tennis
reunión	meeting
rompecabezas	puzzle
sala de juego	amusement arcade
tragaperras/ tragamonedas	slot machine

tres en raya	noughts-and-crosses
videojuego	video game
EDUCATION	
academia	academy
alumnado	student body
alumno	pupil
aprender de memoria	to learn by heart
aprobar un examen	to pass a test
asignatura	subject
aula	classroom
beca	scholarship
biblioteca	library
bolígrafo	pen
carrera	career
catedrático	professor
colegio	school
compañero de clase	classmate
convocatoria	call/announcement
cuaderno	notebook
cultura	culture
curso	course
deberes	homework
decano	dean
desaprobar	to fail
despacho del director	principal's office
día lectivo	school day
diccionario	dictionary

dictado	dictation		pregunta	question
disciplina	discipline		tomar un examen	to take a test
educación	education		profesor	professor
educación primaria	primary education		profesor/a de universidad	lecturer
educación secundaria	secondary education		programa	program
educación superior	higher education		prueba	test
ejercicio	exercise		pupitre	desk
enciclopedia	encyclopedia		recreo	break
escolaridad	schooling		rector	rector
escuela primaria	elementary school		repasar	to revise
escuela secundaria	high school		repetir el curso	to repeat a year
estudiante	student		residencia universitaria	residence hall
estudiar	to study		sacapuntas	pencil sharpener
examen escrito	written examination		sala de profesores	staff room
examen oral	oral examination		tribunal de exámenes	board of examiners
facultad	faculty		trimestre	term
falta de ortografía	spelling mistake		universidad	university
goma de borrar	rubber		vacaciones escolares	school holidays
horario	timetable		**JOBS**	
internado	boarding school		juez	judge
jardín de infancia	kindergarten		gerente	manager
lápiz	pencil		sueldo/salario	salary
lección	lesson		abogado	attorney
libro de texto	text book		actor/actriz	actor/actress
graduarse	to graduate		albañil	builder
maestro/a	teacher		alcalde	mayor
matrícula	enrollment/tuition		arquitecto	architect
parque infantil	playground			
pedagogo	pedagogue			
pizarra	blackboard			

artista/pintor	artist/painter
asistente	assistant
bailarín	dancer
banco	bank
bombero	fireman
bufete	law firm
cambio	change
cantante	singer
carpintero	carpenter
cirujano	surgeon
ciudadano	citizen
cocinero	cook
compañía	company
dentista	dentist
deportista/atleta	athlete
dinero en efectivo	cash
dueño	owner
electricista	electrician
empleado	employee
empleo	job
empresa	business/company
empresario	businessman
fábrica	factory
fabricante	maker
ganarse la vida	make a living
gastos	expenses
granjero/agricultor	farmer
industria	industry
ingeniero	engineer
ingresos	income
jardinero	gardener

jefe	boss
mecánico	mechanic
plomero	plumber
policía	policeman
puesto	market stall
socorrista	lifeguard
técnico informático	computer technician
telefonista	operator
TRAVELING	
aduana	customs
agencia de viajes	travel agency
albergue/hostal	hostel
billete	ticket
billete de ida	single ticket/ one-way ticket
billete de ida y vuelta	return ticket/ round-trip ticket
taquilla/ oficina de boletos	ticket office
bolsa de viaje	travel bag
carrito de equipajes	luggage trolley
cheque de viaje	traveler's check
destino	destination
documentación	papers
documentación del automóvil	car's documents
equipaje	luggage
equipaje de mano	hand luggage
equipaje permitido	luggage allowance
estancia	stay
exceso de equipaje	excess baggage
excursión	excursion
excursionista	tripper/ excursionist/hiker
frontera	frontier; border

gira	tour	retraso	delay
habitación doble	double room	ruta	route
habitación individual	single room	sala de espera	waiting room
horario	timetable	salida	departure
hotel de lujo	luxury hotel	seguro de viajes	travel insurance
hotel de primera, segunda, tercera	first, second, third class hotel	tarjeta de identidad	identity card
itinerario	itinerary	tienda de campaña	tent
llegada	arrival	turismo	tourism
maleta	suitcase	turista	tourist
mapa	map	viaje	trip
máquina expendedora de billetes	ticket machine	viaje de ida	outward journey
media pensión	half board	viaje de ida y vuelta	return journey; round trip
oficina de información	information office	viaje de negocios	business trip
oficina de objetos perdidos	lost property office	luna de miel	honeymoon
parador	state-run hotel	viaje de placer	pleasure trip
pasajero	passenger	viaje de turismo	holiday
pasaporte	passport	viaje organizado	organized tour
pensión	boarding-house	viajero	traveler
pensión completa	full board	visado	visa
permiso de conducir internacional	international driving licence	visado de estancia	permit to stay
polizón	stowaway	**CLOTHES**	
posada	inn	brillante	bright
regreso	return	estampado	patterned
reserva	reservation	lujoso	luxurious
residencia	residential	mezclilla	denim
		sencillo	simple
		abrigo	coat
		anillo	ring
		ajustado	tight
		aretes	earrings

auriculares	headphones
bata/albornoz	robe/bathrobe
billetera	wallet
bolsillo	pocket
bolso	handbag
cadena	chain
cascos	headphones
chaleco	vest
cinturón	belt
collar	necklace
cómodo	comfortable
corbata	tie
cuadros	paintings
diamantes	diamonds
fleco	fringe
holgado	loose
gafas de sol	sunglasses
impermeable	raincoat
incómodo	uncomfortable
jeans/vaqueros	jeans
lentejuelas	sequins
liso	smooth/straight
llavero	keychain
lunares	polka dots
oro	gold
paraguas	umbrella
pijama	pajamas
plata	silver
prendedor	pin
pulsera	bracelet
rayas	stripes

reloj	watch
ropa interior	underwear
seda	silk
sudaderas	sweatshirts
traje	costume/suit
traje de baño	swimsuit
zapatillas	sneakers
FOOD AND DRINKS	
agua mineral	mineral water
agua tónica	tonic water
aguacate	avocado
ajo	garlic
albaricoque	apricot
alcachofa	artichoke
apio	celery
arándano	blueberry
arroz	rice
avena	oats
batata	sweet potato
batido/malteada	milkshake
batido de fruta	smoothie
beber	to drink
bebida sin alcohol	non-alcoholic drink
bebidas	drinks
tocino	bacon
berenjena	eggplant
berro	watercress
brandy	brandy
brócoli	broccoli
café	coffee
café americano	large black coffee

café con leche	coffee with milk	cebolleta	spring onion
café cortado	Espresso Macchiato	centeno	rye
café descafeinado	decaffeinated coffee	cereales	cereals
café en grano	coffee beans	cereza	cherry
café expreso	espresso coffee	cerveza	beer
café instantáneo; café soluble	instant coffee	cerveza de barril	draft beer
café irlandés	irish coffee	cerveza de malta	malt beer
café molido	ground coffee	cerveza embotellada	bottled beer
café negro	black coffee	cerveza negra	stout
café tostado	roasted coffee	cerveza rubia	lager
calabacín	zucchini/squash	champán	champagne
calabaza	pumpkin	chocolate caliente	hot chocolate
canelones	cannelloni	chorizo	chorizo/pork sausage
pinta de cerveza	pint of beer	ciruela	plum
caqui	persimmon	cóctel	cocktail
carne	meat	codorniz	quail
carne blanca	white meat	repollo/col	cabbage
carne de res	beef	col rizada	kale
carne de carnero	mutton	coles de bruselas	brussel sprouts
carne de cerdo	pork	coliflor	cauliflower
carne de cordero	lamb	costillas	cutlet/ribs
carne de gallina	chicken	cuajada	curd
carne de ternera	beef/veal	dátil	date
carne de venado	venison	embutido	sausage
carne magra	lean meat	endivia/escarola	endive/chicory
carne picada/molida	ground meat	espagueti	spaghetti
carne roja	red meat	espárrago	asparagus
carne sin hueso	boneless meat	espinaca	spinach
cebolla	onion	fiambre	cold meat
		fideo	noodle

frambuesa	raspberry	leche condensada	condensed milk
fresa	strawberry	leche cuajada	curdled milk
limonada	lemonade	leche desnatada	skimmed milk
ginebra	gin	leche en polvo	powdered milk
granada	pomegranate	leche evaporada	evaporated milk
grosella	currant	leche semidesnatada	semi-skimmed milk
grosella negra	black currant	lechuga	lettuce
guisante	pea	licores	liquor
haba	broad bean	limón	lemon
harina	flour	macarrones	macaroni
harina de arroz	rice flour	mandarina	tangerine
harina de avena	oat flour	mango	mango
harina de maíz	cornmeal	mantequilla	butter
harina de trigo	wheatflour	manzana	apple
harina integral	wholemeal flour	melocotón	peach
hígado	liver	melón	melon
higo	fig	membrillo	quince
higo chumbo	prickly pear	mora	blackberry
huevos	eggs	mortadela	mortadella/bologna
infusión de hierbas	herbal tea	zumo/jugo de uva	grape juice
infusión de manzanilla	camomile tea	nabo	turnip
jamón	ham	naranja	orange
jamón dulce	boiled ham/sweet	naranjada	orangeade
jamón serrano	serrano/cured ham	nata	fresh cream
judía verde	green bean	nectarina	nectarine
jugo; zumo	juice	níspero	medlar
kiwi	kiwi	pan	bread
lácteos	dairy	pan blanco	white bread
leche	milk	pan casero	homemade bread
leche entera	whole milk	pan de centeno	rye bread

pan de molde	sandwich loaf/bread	queso parmesano	parmesan cheese
pan duro	stale bread	rábano	radish
pan moreno /integral	brown bread	rábano picante	horseradish
pan rallado	breadcrumbs	refresco/gaseosa	soft drink
pan fresco	fresh bread	refresco de cola	cola
tostada	toast	remolacha	beetroot/beet
papaya	papaya	requesón/ queso cottage	cottage cheese
pasta	pasta	ron	rum
patata/papa	potato	salami	salami
paté	pâté	salchicha	sausage
pato	duck	salchichón	salami-type sausage
pavo	turkey	sandia	watermelon
pepino	cucumber	seta; hongo	mushroom
pera	pear	sidra	cider
perdiz	partridge	soda	soda water
perejil	parsley	té	tea
pimiento	pepper	té con leche	tea with milk
pimiento morrón	sweet/bell pepper	té con limón	tea with lemon
piña	pineapple	té de menta	mint tea
plátano/banana	banana	tener sed	to be thirsty
pollo	chicken	tomate	tomato
pomelo/toronja	grapefruit	trigo	wheat
productos lácteos	dairy products	uva	grape
puerro	leek	vegetales	vegetables
queso	cheese	vermut	vermouth
queso azul	blue cheese	vino	wine
queso crema	cream cheese	vino añejo	mature wine
queso de oveja	sheep's cheese	vino blanco	white wine
queso de untar	cheese spread	vino corriente	ordinary wine
queso manchego	manchego cheese	vino de Jerez	sherry
		vino de la casa	house wine

vino de Málaga	Malaga wine		arranque	starter
vino de mesa	table wine		asiento	seat
vino de Oporto	Port wine		asiento del conductor	driver's seat
vino de postre	dessert wine		asiento del pasajero	passenger seat
vino de reserva	Reserve de wine		asiento trasero	back seat
vino de de crianza/ añejo	vintage wine		astilleros	shipyard; dockyard
vino del año	wine for early drinking		aterrizaje	landing
			aterrizaje forzoso	emergency landing
vino espumoso	sparkling wine		autobús	bus
vino barato	cheap wine		automóvil	car/automobile
vino rosado	rosé wine		autopista	highway
vino tinto	red wine		autopista de peaje	toll motorway
vodka	vodka		auxiliar de vuelo	flight attendant
whisky	whisky		avería	breakdown
yogur	yogurt		avión	airplane; plane
yogur desnatado	low-fat yogurt		avión de distancias medias, continental	medium-haul aircraft
zanahoria	carrot			
zarzamora	blackberry		avión de larga distancia, transcontinental	long-haul aircraft
zumo de frutas	fruit juice			
zumo de naranja	orange juice			
MEANS OF TRANSPORT			avión de pasajeros	passenger aircraft
a bordo	aboard/on board		avioneta	small plane
accidente	accident		azafata	flight attendant
aceite	oil		babor	port
acelerar	to accelerate		barco	boat
aeropuerto	airport		barco grande; buque	ship
alas	wings			
amarras	ropes		barco de recreo	pleasure boat
anclaje; fondeo	anchorage		ferri	ferry boat
andén (de estación)	platform		buques de guerra	warships
estacionamiento	parking lot			

batería	battery	compañía naviera	shipping company
bici	bike	compartimento	compartment
bicicleta	bicycle	con rumbo a	bound for
billete	ticket	conductor/a	driver
bote salvavidas	lifeboat	consigna de equipajes	luggage storage
brújula	compass	crucero	cruise / cruise ship
buque mercante	merchant ship	cubierta	deck
butacas	seats	cuentakilómetros	milometer
cabina de pasajeros	passenger cabin	desembarcar (personas)	to disembark
cabina del piloto	cockpit	despegue	takeoff
caja de herramientas	toolbox	dique	dam
camarote	cabin	echar anclas, fondear, anclar	to anchor; to drop anchor
camión	truck	embarcaciones deportivas	sports boats
canoa	canoe	embarcar (personas)	embark
capitán	captain	embarque	boarding
capó	hood	embotellamiento	traffic jam
carretera	road	equipaje	luggage
carretera de peaje	toll road	escala	stopover
chaleco salvavidas	life jacket	escotilla	hatch
cinturón de seguridad	safety belt	estación aérea	air station
clase turista	tourist class	estación de autobuses	bus station
club náutico	sailing club	estación marítima	maritime station
auto	car	estacionar	to park
coche cama (tren)	sleeping car	estribor	starboard
coche restaurante (tren)	dining car	faro	lighthouse
código de circulación	highway code	faro/luz	headlight

ferrocarril	railway	mecánico	mechanic
flota	fleet	metro	subway/underground
frenar	to brake	motocicleta	motorcycle
garaje	garage	motores	engines
gasolina	gas	mozo	porter
grúa	crane/tow truck	muelle	pier/harbor
guardacostas	coast guard	multa	fine
guardagujas	Switchman/pointsman	naufragio	shipwreck
hacer escala en un puerto	to have a stopover at a port	navegar	to navigate/sail
hacerse a la mar	to sail	palanca de cambios	gear lever
hélice	screw/propeller	parabrisas	windscreen/windshield
helicóptero	helicopter	parachoques	bumper
ida y vuelta	return ticket/round trip	parada de autobús	bus stop
ir a la deriva	to drift	parada de taxis	taxi rank/stand
jefe de estación	station master	pasaje clase turística	tourist class ticket
lancha	launch/boat	paso a nivel	level crossing
límite de velocidad	speed limit	pedal de embrague	clutch pedal
limpiaparabrisas	windshield wiper	pedal de freno	brake
línea aérea	airline	permiso de conducir/licencia	driving licence/driver's
llenar el depósito de gasolina	to fill the tank	piezas de recambio	spare parts
locomotora	engine	piloto	driver/pilot
luces de posición	navigation lights	pista de aterrizaje o despegue	runway
maleta	suitcase	placa de matrícula	license plate
maletín	briefcase	policía de tráfico/tránsito	traffic police
manillar	handlebar	popa	stern
maquinista	engine driver/operator	por avión	by plane
mar	sea	portaaviones	aircraft carrier
marinero; marino	sailor		

portaequipajes de coche/ baúl/maletero	trunk
portaequipajes de tren	luggage rack
primera clase	first class
proa	bow
puerto	port
puerto de escala	port of call
puerto pesquero	fishing harbour/port
rieles/carriles	rails
remo	oar/paddle
remolcador	tug/tugboat
retrovisor exterior	wing mirror
revisor	ticket inspector
rompeolas	breakwater
rueda de recambio/ llanta de repuesto	spare wheel
sala de espera	waiting room
sala de máquinas	engine room
salida con destino a	to leave for
salida de emergencia	emergency exit
salvamento	rescue
seguro contra accidentes	accident insurance
semáforo	traffic lights
señal de alarma	warning sign
señal de socorro	distress signal
señal de tráfico	traffic sign
servicio regular	regular service
submarino	submarine
surtidor de gasolina	fuel pump

tarjeta de embarque	boarding pass
taxi	cab; taxi; taxicab
taxista	taxi driver
tempestad	storm
terminal	terminal/station
timón	rudder/wheel
torre de control	control tower
transatlántico	transatlantic
transbordo	transfer
tranvía	tram
tren	train

MORE BOOKS BY LINGO MASTERY

We are not done teaching you Spanish until you're fluent!

Here are some other titles you might find useful in your journey of mastering Spanish:

✓ Spanish Short Stories for Beginners

✓ Intermediate Spanish Short Stories

✓ 2000 Most Common Spanish Words in Context

✓ Conversational Spanish Dialogues

But we got many more!

Check out all of our titles at **www.LingoMastery.com/Spanish**

Printed in Great Britain
by Amazon

37056812R00110